Carlos Pimentel
Professor da Universidade Salvador – UNIFACS,
pós-graduado em Literatura Brasileira pela UERJ
e colunista dos jornais Correio da Bahia
e Jornal de Salvador.

PORTUGUÊS DESCOMPLICADO

Av. Marquês de São Vicente, 1697 – CEP 01139-904
Barra Funda – Tel.: PABX (0**11) 3613-3000
Fax: (0**11) 3611-3308 – Televendas: (0**11) 3613-3344
Fax Vendas: (0**11) 3611-3268 – São Paulo-SP
Endereço Internet: www.editorasaraiva.com.br

Distribuidores Regionais

AMAZONAS/RONDÔNIA/RORAIMA/ACRE
Rua Costa Azevedo, 56 — Centro
Fone/Fax: (92) 3633-4227 / 3633-4782 — Manaus

BAHIA/SERGIPE
Rua Agripino Dórea, 23 — Brotas
Fone: (71) 3381-5854 / 3381-5895
Fax: (71) 3381-0959 — Salvador

BAURU/SÃO PAULO
Rua Monsenhor Claro, 2-55/2-57 — Centro
Fone: (14) 3234-5643 — Fax: (14) 3234-7401 — Bauru

CEARÁ/PIAUÍ/MARANHÃO
Av. Filomeno Gomes, 670 — Jacarecanga
Fone: (85) 3238-2323
Fax: (85) 3238-1331 — Fortaleza

DISTRITO FEDERAL
SIG QD 3 Bl. B - Loja 97 — Setor Industrial Gráfico
Fone: (61) 3344-2920 / 3344-2951
Fax: (61) 3344-1709 — Brasília

GOIÁS/TOCANTINS
Av. Independência, 5330 — Setor Aeroporto
Fone: (62) 225-2882 / 212-2806
Fax: (62) 224-3016 — Goiânia

MATO GROSSO DO SUL/MATO GROSSO
Rua 14 de Julho, 3148 — Centro
Fone: (67) 382-3682 — Fax: (67) 382-0112 — Campo Grande

MINAS GERAIS
Rua Além Paraíba, 457 — Bonfim
Fone: (31) 3429-8300
Fax: (31) 3429-8310 — Belo Horizonte

PARÁ/AMAPÁ
Travessa Apinagés, 186 — Batista Campos
Fone: (91) 3222-9034 / 3224-9038
Fax: (91) 3241-0499 — Belém

PARANÁ/SANTA CATARINA
Rua Conselheiro Laurindo, 2895 — Prado Velho
Fone/Fax: (41) 3332-4894 — Curitiba

PERNAMBUCO/PARAÍBA/R. G. DO NORTE
Rua Corredor do Bispo, 185 — Boa Vista
Fone: (81) 3421-4246
Fax: (81) 3421-4510 — Recife

RIBEIRÃO PRETO/SÃO PAULO
Av. Francisco Junqueira, 1255 — Centro
Fone: (16) 610-5843
Fax: (16) 610-8284 — Ribeirão Preto

RIO DE JANEIRO/ESPÍRITO SANTO
Rua Visconde de Santa Isabel, 113 a 119 — Vila Isabel
Fone: (21) 2577-9494 — Fax: (21) 2577-8867 / 2577-9565
Rio de Janeiro

RIO GRANDE DO SUL
Av. Ceará, 1360 — São Geraldo
Fone: (51) 3343-1467 / 3343-7563
Fax: (51) 3343-2986 / 3343-7469 — Porto Alegre

SÃO PAULO
Av. Marquês de São Vicente, 1697
(antiga Av. dos Emissários) — Barra Funda
Fone: PABX (11) 3613-3000 — São Paulo

Editor: ROGÉRIO CARLOS GASTALDO DE OLIVEIRA
Assistente editorial
e preparação de texto: KANDY SGARBI SARAIVA
Secretária editorial: ANDRÉIA PEREIRA
Coordenação de revisão: LIVIA MARIA GIORGIO
Gerência de arte: NAIR DE MEDEIROS BARBOSA
Supervisão de arte: ANTONIO ROBERTO BRESSAN
Capa: ALEXANDRE RAMPAZO
Diagramação: EDSEL MOREIRA GUIMARÃES
Ilustrações: ADOLAR

Dados Internacionais de Catalogação na Publicação (CIP)
(Câmara Brasileira do Livro, SP, Brasil)

Pimentel, Carlos
Português descomplicado / Carlos Pimentel. — São Paulo : Saraiva, 2004.

ISBN 85-02-04694-2

1. Português - Estudo e ensino 2. Português - Gramática - Estudo e ensino 3. Português - Palavras e locuções I. Título.

04-4306 CDD-469.07

Índice para catálogo sistemático:

1. Português: Estudo e ensino 469.07

2009 2008 2007 2006 2005
12 11 10 9 8 7 6 5 4

Sumário

CAPÍTULO 1

CAPÍTULO 6

A CRASE

CAPÍTULO 7

DIVISÃO DO PERÍODO

CLASSIFICAÇÃO DAS ORAÇÕES

ESTILÍSTICA

CAPÍTULO 1

CLASSIFICAÇÃO DAS PALAVRAS

Idéias Gerais

Na língua portuguesa existem dez classes de palavras. Seis são variáveis, isto é, flexionam-se em gênero, número etc. Quatro são invariáveis; não se flexionam.

PALAVRAS VARIÁVEIS

Substantivos são palavras que designam os seres.
Exemplo:

- Passando por uma **rua**, encontrei um **menino** que procurava a **casa** de um **amigo**.

Artigos são palavras antepostas aos substantivos para determiná-los. Indicam gênero e número do substantivo.
Exemplo:

- Passando por **uma** rua, encontrei **um** menino que procurava **a** casa de **um** amigo.

Adjetivos são palavras que expressam as qualidades ou características dos seres.
Exemplo:

- Passando por uma rua **deserta**, encontrei um menino **triste** que procurava a casa de um **pequeno** amigo.

Numerais são palavras que designam números ou a ordem de sua sucessão.
Exemplo:

- Passando pela **primeira** rua, encontrei **dois** meninos que procuravam a casa de **dois** amigos.

Pronomes são palavras que substituem ou acompanham um substantivo tomado como pessoa do discurso.

Exemplo:

- Encontrei um menino. **Ele** procurava a casa de um amigo e **me** pediu ajuda.

Verbos são palavras que exprimem ação, estado, fatos etc.

Exemplo:

- **Passando** por uma rua **encontrei** um menino que **procurava** a casa de um amigo.

PALAVRAS INVARIÁVEIS

Advérbios são palavras que modificam o sentido do verbo, do adjetivo ou de outro advérbio.

Exemplo:

- **Ontem** encontrei um menino **muito** esperto que procurava a casa de um amigo.

Preposição é uma palavra que liga um termo dependente a um termo principal, estabelecendo relação entre ambos.

Exemplos:

- Procurava a casa **de** um amigo.
  Recorreu **a** mim **para** pedir ajuda.

Conjunções são palavras que ligam orações ou palavras da mesma oração.

Exemplo:

- O menino **e** a irmã procuravam, **mas** não conseguiam encontrar.

Interjeições são palavras ou locuções que exprimem um estado emotivo.

Exemplo:

- Oba! – disse o menino. – Encontrei meu amigo.

O substantivo

Classificação

QUANTO AO ELEMENTO DESIGNADO

Comuns: designam seres da mesma espécie.	• menina, gato, árvore, piano
Próprios: referem-se a um ser em particular, específico. Os substantivos próprios podem tornar-se comuns. Isso ocorre quando as suas características individuais passam a ser atribuídas, por extensão, a outros seres.	• Paulo, Brasil, Salvador, Macunaíma • Ele é um **judas** (traidor). • Fumei um bom **havana** (charuto produzido em Havana, Cuba). • Ele sempre foi um **caxias** (alguém muito dedicado a algo. Inspirado no Duque de Caxias).
Concretos: designam seres de existência real ou criados pela imaginação.	• pai, mãe, rocha, mar, água, leão, vampiro, duende, anjo
Abstratos: designam qualidades, sentimentos, ações ou estados dos seres sem os quais não poderiam existir.	• covardia, bravura, clareza, velocidade (qualidades) • amor, ódio, saudade, fome (sentimentos) • estudo, esforço, luta, ofensa (ações) • vida, morte, juventude, doença (estados)

Os substantivos abstratos podem ser concretizados.	• **O Amor** me condenou para sempre. (personificação de "amor") • **A Morte** veio buscá-lo. (personificação) • Levei **a caça** para a cabana (o substantivo abstrato "caça", referente ao "ato de caçar", torna-se concreto ao referir-se ao "animal caçado"). • A **pintura** é uma das artes mais antigas do mundo (pintura = ato de pintar, substantivo abstrato). *Guernica* é a **pintura** que melhor retratou a dor da guerra (pintura = quadro, substantivo concreto).

QUANTO À FORMAÇÃO

Simples: formados por um só radical.	• vida, pão, cachorro
Compostos: formados por mais de um radical.	• aguardente, guarda-chuva, passaporte
Primitivos: não derivam de nenhuma outra palavra da língua portuguesa.	• ferro, dente, trovão, água
Derivados: derivam de outra palavra da língua portuguesa.	• ferreiro, ferradura; dentição, dentista; trovoada; aguaceiro, aguado
Coletivos: designam uma coleção de seres da mesma espécie.	• alcatéia (lobos), cardume (peixes), enxame (abelhas)

Os gêneros do substantivo

FIQUE ATENTO!

Em português só há dois gêneros: o masculino e o feminino; em relação a pessoas e animais, o gênero se liga diretamente ao sexo (o leão, a leoa); em relação a objetos, a idéia de gênero é puramente aleatória (a faca – feminino; o garfo – masculino; o pé – masculino; a mão – feminino).

FORMAÇÃO DO GÊNERO

Por meio de flexão Normalmente é acrescentada a desinência **-a** ao masculino, suprimindo-se a vogal temática aos terminados em **-o** e **-e** (não havendo vogal temática, a desinência **-a** é somada diretamente à palavra).	• gat(o) + a = gata • lob(o) + a = loba • mestr(e) + a = mestra
Com pares de substantivos semanticamente opostos	• macho – fêmea • cavalheiro – dama • cavalo – égua • bode – cabra • touro – vaca • cônego – canonisa • homem – mulher
Com sufixos diferentes	• ator – atriz • diácono – diaconisa • imperador – imperatriz • czar – czarina • galo – galinha • conde – condessa

A flexão dos substantivos terminados em "ÃO"

Com "oa":
- anfitrião – anfitrioa (ou anfitriã)
- beirão – beiroa
- bretão – bretoa (ou bretã)
- ermitão – ermitoa (ou ermitã)
- leão – leoa
- leitão – leitoa
- patrão – patroa
- tabelião – tabelioa (ou tabeliã)
- vilão – viloa (ou vilã)

Com "ã":
- aldeão – aldeã
- alemão – alemã
- anão – anã
- ancião – anciã
- bretão – bretã (ou bretoa)
- castelão – castelã
- charlatão – charlatã
- cidadão – cidadã
- cortesão – cortesã
- cristão – cristã
- pagão – pagã

Com "ona" (mais comum nos aumentantivos):
- bonachão – bonachona
- machão – machona
- mandão – mandona
- brigão – brigona
- solteirão – solteirona
- respondão – respondona
- valentão – valentona

Exceções:

barão – baronesa
cão – cadela
ladrão – ladra (ou ladroa ou ladrona)
lebrão – lebre
maganão – magana
perdigão – perdiz
sultão – sultana
zangão – abelha

SUBSTANTIVOS DE GÊNERO ÚNICO

Sobrecomuns: um só gênero gramatical para pessoas de um ou outro sexo.

- o algoz
- o apóstolo
- o carrasco
- o cônjuge
- o indivíduo
- a testemunha
- a criatura
- a pessoa

Epicenos: um só gênero para designar animais de ambos os sexos.
Quando se quer deixar claro o sexo, acrescentam-se as expressões "macho" ou "fêmea".

- o albatroz
- o besouro
- o badejo
- o condor
- a águia macho, a águia fêmea
- a formiga macho, a formiga fêmea
- a mosca macho, a mosca fêmea
- a onça macho, a onça fêmea

Comuns de dois gêneros: sob uma só forma, designam indivíduos dos dois sexos; a indicação do sexo é feita com o acréscimo do artigo masculino ou feminino.	• o colega – a colega • o mártir – a mártir • o motorista – a motorista • o cliente – a cliente • o estudante – a estudante • o militar – a militar

SUBSTANTIVOS CUJOS GÊNEROS SÃO MOTIVO DE DÚVIDA

Masculino

- o alvará
- o antílope
- o champanha
- o diabete ou diabetes
- o eclipse
- o lança-perfume
- o sabiá
- o sanduíche
- o soprano
- o suéter
- o tapa
- o vau

Feminino

- a aluvião
- a análise
- a cal
- a derme
- a hélice
- a juriti
- a omoplata
- a ordenança
- a rês
- a sentinela
- a sucuri
- a usucapião

SUBSTANTIVOS CUJA SIGNIFICAÇÃO VARIA DE ACORDO COM O GÊNERO

o cabeça (chefe)	a cabeça (parte do corpo)
o caixa (pagador)	a caixa (objeto)
o capital (dinheiro)	a capital (sede)
o cisma (divisão)	a cisma (implicância)
o cura (sacerdote)	a cura (melhora)
o guarda (vigia)	a guarda (ter sob guarda)
o guia (que leva, que guia alguém)	a guia (documento; meio-fio – regionalismo de São Paulo)
o grama (peso)	a grama (capim)
o lente (professor)	a lente (vidro)
o moral (estado de espírito)	a moral (virtude)

O número do substantivo

O **número** indica se o ser nomeado é apenas um ou se se trata de mais de um.

Há dois números:

O **singular** – refere-se a um ser ou a um grupo de seres: a criança, o peixe, o rebanho etc.

O **plural** – refere-se a mais de um ser ou a mais de um grupo de seres: as crianças, os peixes, os rebanhos etc.

A FORMAÇÃO DO PLURAL

Forma mais comum: **s (es)** opondo-se à ausência de desinência para número, sinal de singular.	• casa – casas • pé – pés • pai – pais • massa – massas
Paroxítonos terminados em **s** ou **x** não vão para o plural; a identificação do número se faz pela concordância.	• lápis, atlas, oásis, ourives, alferes, tórax, ônix, fênix • um lápis colorido – dois lápis coloridos • uma fênix renascida – várias fênix renascidas • um velho atlas – quatro velhos atlas
Substantivos terminados em vogal ou ditongo recebem **s**. Incluem-se neste caso os nomes terminados em **em**, **im**, **om** e **um**, que têm o **m** transformado em **n** antes de receber o **s**.	• monte – montes; café – cafés; bambu – bambus; mãe – mães • vintém – vinténs; alguém – alguéns; jardim – jardins; bombom – bombons; jejum – jejuns

Substantivos terminados em consoante: se terminados em **r**, **z**, **n** ou **s** **(em sílaba tônica)**, recebem **es**:	• mulher – mulheres • raiz – raízes • juiz – juízes • hífen – hifens • abdômen – abdômenes (ou abdomens) • gás – gases • português – portugueses **Atenção:** • caráter – caracteres • sênior – seniores • júnior – juniores • cais e cós são invariáveis
terminados em **l**: **al**, **el**, **ol**, **ul** – o **l** é substituído por **is**:	• jornal – jornais • papel – papéis • móvel – móveis • animal – animais
il: se tônico, se transforma em **is**; se átono, em **eis**:	• fuzil – fuzis • covil – covis • réptil – répteis **Atenção:** Certas palavras, de dupla pronúncia, admitem duplo plural: • reptil (oxítono) – reptis réptil (paroxítono) – répteis • projetil (oxítono) – projetis projétil (paroxítono) – projéteis
Nomes terminados em **ão** acentuado: três terminações de plural: **ões**, **ãos**, **ães**. **ões**:	• balão – balões • leão – leões • coração – corações • visão – visões • canção – canções • opinião – opiniões

ãos:	• pagão – pagãos • irmão – irmãos • grão – grãos • cidadão – cidadãos • cortesão – cortesãos • órgão – órgãos • bênção – bênçãos
ães:	• pão – pães • cão – cães • escrivão – escrivães • capitão – capitães • tabelião – tabeliães • guardião – guardiães
Substantivos que se usam somente no plural.	• anais, antolhos, arredores, calendas, cãs, condolências, costas, damas (jogo de), exéquias, férias, fezes, núpcias, óculos, pêsames, olheiras, víveres, nomes dos naipes do baralho: ouros, espadas, copas, paus **Atenção:** Os determinantes dos casos acima devem vir também no plural: **meus óculos**, **minhas férias**, **minhas costas** etc.
Nomes próprios de pessoas podem ser pluralizados, desde que a sua forma se adapte ao plural.	• A França dos Dantons e Luíses. • Escreve com a clareza dos Machados. • Falavam como verdadeiros Cíceros. • Falavam como verdadeiros Demóstenes (aqui não cabe o plural, pois o nome próprio "Demóstenes" não tem plural).

Plural dos diminutivos terminados em -**zinho** e -**zito**: flexiona-se o substantivo no plural, retira-se o **s** final e acrescenta-se o sufixo diminutivo seguido de **s**.	• pão: pãe(s) + zinhos = pãezinhos • animal: animai(s) + zinhos = animaizinhos • chapéu: chapéu(s) + zinhos = chapeuzinhos • farol: farói(s) + zinhos = faroizinhos • pé: pé(s) + zitos = pezitos
Plural com mudança de timbre (metafonia): são substantivos que sofrem mudança de timbre na vogal tônica, passando o **o (ô)** fechado a soar como **o (ó)** aberto:	• abrolho (ô) – abrolhos (ó) • aposto (ô) – apostos (ó) • caroço (ô) – caroços (ó) • corno (ô) – cornos (ó) • corpo (ô) – corpos (ó) • destroço (ô) – destroços (ó) • escolho (ô) – escolhos (ó) • esforço (ô) – esforços (ó) • fogo (ô) – fogos (ó) • forno (ô) – fornos (ó) • miolo (ô) – miolos (ó) • olho (ô) – olhos (ó) • porto (ô) – portos (ó) • socorro (ô) – socorros (ó) • tremoço (ô) – tremoços (ó)
É comum o uso de termos no singular com valor de plural:	• Muito **pobre** tem morrido de fome no país. • Muito **negro** sofreu no tempo da escravidão. • Vê-se pouco **mendigo** nas ruas desta cidade.

Os graus do substantivo

São dois os graus do substantivo: o **aumentativo** e o **diminutivo**.

AUMENTATIVO

Aumentativo analítico: é o substantivo mais o adjetivo **grande** (ou outro equivalente):	• casa **grande**, pessoa **enorme**
Aumentativo sintético: formado com os sufixos **aço**, **ázio**, **ora**, **ola**, **ar** e **ão** (variantes: **eirão**, **alhão**, **arão**, **arrão**, **zarrão**).	• balaço, • balázio, • cabeçorra, • dramalhão, • copázio, • gatão, • gataço, • gatarrão, • gatázio, • manzorra, • mocetão, • narigão etc.
O uso do aumentativo pode indicar também desprezo ou intimidade:	• medicastro (pejorativo) • espertalhão (pejorativo) • poetastro (pejorativo) • amigalhão (intimidade)

DIMINUTIVO

Diminutivo analítico: é o substantivo mais o adjetivo **pequeno** (ou equivalente):	• casa **pequena**, pessoa **mínima**

Diminutivo sintético: formado com os sufixos **ito**, **ulo**, **culo**, **ote**, **ola**, **elho** e, principalmente, **inho** e **zinho** (**zinho** é obrigatório quando o substantivo terminar em vogal tônica ou ditongo – cafezinho, paizinho etc.).	• animal: animalito, animalzinho, animalejo • casa: casita, casinhola, casucha • corpo: corpinho, corpúsculo • diabo: diabinho, diabrete • espada: espadinha, espadim • galo: galinho, galispo • globo: globinho, glóbulo • grão: graõzinho, grânulo • gota: gotinha, gotícula • moça: mocinha, moçoila • nó: nozinho, nódulo • núcleo: nucleozinho, nucléolo • ovo: ovinho, óvulo

Atenção:
Tanto no caso do aumentativo analítico quanto no diminutivo analítico, trata-se de um processo de adjetivação.

O adjetivo

É a palavra que dá ao substantivo ou pronome substantivo uma qualidade, um estado, uma característica ou um aspecto qualquer:

- aluno **esforçado**
- menina **bonita**
- flores **amarelas**
- dias **ensolarados**
- os turistas acharam tudo **bonito**

A flexão do adjetivo

O adjetivo se flexiona em número, gênero e grau.

NÚMERO	
singular ou plural	• dia **bonito** – dias **bonitos** • pessoa **simpática** – pessoas **simpáticas**

GÊNERO	
masculino ou feminino	• terno **barato** – camisa **barata** • carro **caro** – moto **cara**

FIQUE ATENTO!

Adjetivos uniformes: são invariáveis quanto ao gênero, acompanhando tanto substantivos femininos quanto masculinos:

- homem **carioca** – mulher **carioca**
- cidadão **paulista** – cidadã **paulista**
- vida **regular** – comportamento **regular**

Há ainda os **adjetivos compostos**, nos quais só o segundo elemento pode assumir a forma feminina:

- guerra **russo-americana**

- literatura **luso-brasileira**
- operação **médico-cirúrgica**

Exceção: **surdo-mudo** (feminino: **surda-muda**)

Os graus do adjetivo

COMPARATIVO	
de superioridade: (mais... que, ou do que)	• Ele é **mais** inteligente **que** o irmão. • Ela é **mais** brilhante **do que** as colegas.
de inferioridade: (menos... que, ou do que)	• João é **menos** estudioso **que** Paulo. • Paulo é **menos** esforçado **do que** Ana.

de igualdade: (**tão**... **como**, ou **quanto**)	• O irmão é **tão** bom pintor **como** a irmã. • Ele é **tão** bom caráter **quanto** o pai.

SUPERLATIVO

É a expressão de uma qualidade no seu mais alto grau de intensidade. Pode ser **relativo** ou **absoluto**.

O **superlativo relativo** sempre surge da comparação com algum outro elemento do período (daí **relativo**, pois a comparação é sempre **relativa** a outro elemento).	• Aquela cidade era a **mais bonita** do Sul. (o superlativo só existe na comparação com as outras cidades)
O **superlativo absoluto** não se compara a nada (daí **absoluto**, pois **não há comparação com nenhum outro elemento**).	• Aquela cidade é **muito bela** (ou **belíssima**).

QUADRO GERAL DO SUPERLATIVO

Relativo	**De superioridade (o mais...............de, ou dentre)** • Ele é o **mais** rico **de** todos os amigos. **De inferioridade (o menos...............de, ou dentre)** • Ela é a **menos** inteligente **dentre** todas as do grupo.
Absoluto	**Sintético (adjetivo + íssimo, rimo etc.)** • Ele é **riquíssimo**. • Ele é **magérrimo**. **Analítico (advérbio de intensidade + adjetivo)** • Pessoas **muito ricas** vivem aqui.

FORMAS ESPECIAIS DE COMPARATIVO E SUPERLATIVO

Adjetivos	Comparativo de Superioridade	Superlativo Absoluto	Superlativo Relativo
bom	melhor	ótimo	o melhor
mau	pior	péssimo	o pior
grande	maior	máximo	o maior
pequeno	menor	mínimo	o menor

FIQUE ATENTO!

Não é correto dizer **mais bom** e **mais grande**; porém, é possível usar **mais mau** e **mais pequeno**:

Ele era o **mais pequeno** dos pequenos.

É possível ainda usar o **mais** antes de **bom** e **grande** no caso de se pretender fazer uma contraposição de qualidades:

Ele é **mais bom** que inteligente.

Alguns comparativos não possuem a forma normal correspondente:

superior – superlativos **supremo** e **sumo**
inferior – superlativo **ínfimo**

FIQUE ATENTÍSSIMO!!!

A maior parte dos superlativos absolutos sintéticos se forma com os radicais latinos dos adjetivos, aos quais se soma **-íssimo**: frio – frigidíssimo (frigid + -íssimo), doce – dulcíssimo (dulc + -íssimo). A gramática aceita também o superlativo formado a partir dos radicais em sua forma portuguesa: frio – friíssimo, doce – docíssimo etc.

Nos últimos tempos, o desconhecimento da língua culta tem levado pessoas a usarem o prefixo **super** como modo de passar uma idéia de superlativo. É uma forma estranha, apesar de muito divulgada, inclusive por todos os meios de comunicação do país, notadamente a televisão. Portanto, continue lendo o Super-Homem e deliciando-se com a Supermãe do Ziraldo, mas evite bobagens como "eu estou supercansado" ou "ele está superfeliz com a casa nova".

Ficha de apoio

Formas eruditas do superlativo absoluto sintético

acre	acérrimo	**magnífico**	magnificentíssimo
agudo	acutíssimo	**magro**	macérrimo
amargo	amaríssimo	**maléfico**	maleficentíssimo
amigo	amicíssimo	**mísero**	misérrimo
antigo	antiqüíssimo	**miúdo**	minutíssimo
áspero	aspérrimo	**módico**	modicíssimo
benéfico	beneficentíssimo	**negro**	nigérrimo
benévolo	benevolentíssimo	**nobre**	nobilíssimo
célebre	celebérrimo	**parco**	parcíssimo
comum	comuníssimo	**pessoal**	personalíssimo
cristão	cristianíssimo	**pio**	piíssimo/
crível	credibilíssimo		pientíssimo
cruel	crudelíssimo	**pobre**	paupérrimo
difícil	dificílimo	**pródigo**	prodigalíssimo
doce	dulcíssimo	**próspero**	prospérrimo
dócil	docílimo	**provável**	probabilíssimo
fácil	facílimo	**pudico**	pudicíssimo
fiel	fidelíssimo	**público**	publicíssimo
frio	frigidíssimo	**sábio**	sapientíssimo
geral	generalíssimo	**sagrado**	sacratíssimo
humilde	humílimo	**são**	saníssimo
incrível	incredibilíssimo	**simples**	simplíssimo
inimigo	inimicíssimo	**soberbo**	superbíssimo
íntegro	integérrimo	**tétrico**	tetérrimo
livre	libérrimo		

O artigo

É a partícula que precede o substantivo com a função de determiná-lo:

Ele encontrou **a** casa.
Ela vendeu **o** carro.

Qualquer palavra, expressão ou frase que trouxer antes de si um artigo torna-se substantivada:

O amar é muito importante (substantivação do verbo).

O artigo assinala o gênero e o número do substantivo:

Ele comprou **o violão** (masculino, singular).
Encontramos **umas amigas** (feminino, plural).

Tipos de artigo

DEFINIDO

Junta-se ao substantivo para defini-lo de modo preciso, particular. São os seguintes: **o, a, os, as**.

Ele encontrou **o** homem que procurava.
Comprei **a** casa ontem.
Tomamos **os** refrigerantes.

INDEFINIDO

Determina o artigo de maneira vaga, imprecisa, geral. São os seguintes: **um, uma, uns, umas**.

Encontrei **um** homem na rua.
Comprei **uma** casa.
Tomamos **uns** refrigerantes.

O numeral

É a palavra que exprime número, número de ordem, múltiplo ou fração.

Pode ser usado como substantivo: **dois** e **dois** são **quatro**.

Pode também ter função adjetiva, vindo junto a um substantivo: **três** livros, **quatro** pessoas etc.

Tipos de numeral

Cardinal: indica a quantidade certa de seres.	• um, dois, mil
Ordinal: estabelece uma ordem.	• primeiro, segundo, milésimo
Multiplicativo: indica uma multiplicação.	• duplo, quádruplo, triplo
Fracionário: indica uma fração.	• meio, terço, quarto

FIQUE ATENTO!

Leitura e escrita de números:

Intercala-se a conjunção "e" entre as centenas e as dezenas e entre estas e as unidades:

2.234.657 = dois milhões e duzentos e trinta e quatro mil e seiscentos e cinqüenta e sete.

Na escrita de números por extenso, portanto, não se põe vírgula entre uma classe e outra.

Há alguns ordinais que não possuem os cardinais correspondentes: **último**, **penúltimo**, **antepenúltimo** (estas palavras também podem ser consideradas adjetivos).

Ficha de apoio I

Quadro dos principais numerais

Cardinais	Ordinais	Multiplicativos	Fracionários
um	primeiro	—	—
dois	segundo	dobro, duplo	meio, metade
três	terceiro	triplo, tríplice	terço
quatro	quarto	quádruplo	quarto
cinco	quinto	quíntuplo	quinto
seis	sexto	sêxtuplo	sexto
sete	sétimo	sétuplo	sétimo
oito	oitavo	óctuplo	oitavo
nove	nono	nônuplo	nono
dez	décimo	décuplo	décimo
onze	décimo primeiro	undécuplo	onze avos, undécimo
doze	décimo segundo	duodécuplo	doze avos, duodécimo
treze	décimo terceiro	—	treze avos
catorze, quatorze	décimo quarto	—	catorze avos quatorze avos
quinze	décimo quinto	—	quinze avos
dezesseis	décimo sexto	—	dezesseis avos
dezessete	décimo sétimo	—	dezessete avos
dezoito	décimo oitavo	—	dezoito avos
dezenove	décimo nono	—	dezenove avos
vinte	vigésimo	—	vinte avos
trinta	trigésimo	—	trinta avos

▼

Cardinais	Ordinais	Multiplicativos	Fracionários
quarenta	quadragésimo	—	quarenta avos
cinqüenta	qüinquagésimo	—	cinqüenta avos
sessenta	sexagésimo	—	sessenta avos
setenta	septuagésimo	—	setenta avos
oitenta	octogésimo	—	oitenta avos
noventa	nonagésimo	—	noventa avos
cem, cento	centésimo	cêntuplo	centésimo
duzentos	ducentésimo	—	ducentésimo
trezentos	trecentésimo	—	trecentésimo
quatrocentos	quadringentésimo	—	quadringentésimo
quinhentos	qüingentésimo	—	qüingentésimo
seiscentos	sexcentésimo	—	sexcentésimo
setecentos	septingentésimo	—	septingentésimo
oitocentos	octingentésimo	—	octingentésimo
novecentos	nongentésimo	—	nongentésimo
mil	milésimo	—	milésimo
milhão	milionésimo	—	milionésimo
bilhão	bilionésimo	—	bilionésimo

Ficha de apoio II

Os algarismos romanos

Romanos	Arábicos	Romanos	Arábicos
I	1 (um)	**L**	50 (cinqüenta)
II	2 (dois)	**LX**	60 (sessenta)
III	3 (três)	**LXX**	70 (setenta)
IV	4 (quatro)	**LXXX**	80 (oitenta)
V	5 (cinco)	**XC**	90 (noventa)

Romanos	Arábicos	Romanos	Arábicos
VI	6 (seis)	C	100 (cem)
VII	7 (sete)	CC	200 (duzentos)
VIII	8 (oito)	CCC	300 (trezentos)
IX	9 (nove)	CD	400 (quatrocentos)
X	10 (dez)	D	500 (quinhentos)
XI	11 (onze)	DC	600 (seiscentos)
XII	12 (doze)	DCC	700 (setecentos)
XIII	13 (treze)	DCCC	800 (oitocentos)
XIV	14 (catorze)	CM	900 (novecentos)
XV	15 (quinze)	M	1 000 (mil)
XX	20 (vinte)	$\overline{X}$	10 000 (dez mil)
XXI	21 (vinte e um)	$\overline{C}$	100 000 (cem mil)
XXII	22 (vinte e dois)	$\overline{M}$	1 000 000 (um milhão)
XXX	30 (trinta)	$\overline{\overline{M}}$	1 000 000 000 (um bilhão)
XL	40 (quarenta)		

O pronome

É a palavra que representa os nomes dos seres ou os determina, tomando-os como pessoas do discurso (o indivíduo que fala, o indivíduo com quem se fala e o indivíduo ou a coisa de que se fala).

Classificação geral dos pronomes

PRONOMES PESSOAIS

Retos: funcionam como sujeito da oração.
São os seguintes: **eu**, **tu**, **ele (ela)**, **nós**, **vós**, **eles (elas)**.

Oblíquos: funcionam como complemento do verbo (objeto ou adjunto). Dividem-se em:

Átonos – partículas inacentuadas que se colocam antes ou depois do verbo. São os seguintes: **me**, **te**, **se**, **o**, **a**, **os**, **as**, **lhe**, **nos**, **vos** e **lhes**.

Tônicos – vêm sempre regidos de preposição e são os seguintes: **mim (comigo)**, **ti (contigo)**, **ele**, **ela**, **si (consigo)**, **nós (conosco)**, **vós (convosco)**, **eles**, **elas**, **si**.

Quando os pronomes oblíquos referem-se ao sujeito da oração, sendo da mesma pessoa que este, são chamados de **reflexivos** (o sujeito pratica e sofre simultaneamente a ação).

Exemplos:

Ele **se** feriu (ele feriu ele mesmo).

Ele **se** deu o direito de julgar (ele deu a si mesmo...).

Ele vinha pensando **consigo** pela rua (...pensando com ele próprio).

PRONOMES DE TRATAMENTO

São os pronomes pessoais que se usam no trato cortês e cerimonioso.

Exemplos:

Você (v.) – tratamento familiar ou informal

Senhor (sr.) e **Senhora** (sra.) – tratamento respeitoso, mais formal

Senhorita (srta.) – tratamento mais formal dirigido a moças solteiras

Vossa Excelência (V.Exª) – tratamento formal dirigido a autoridades (ver ficha de apoio – pronomes de tratamento)

PRONOMES POSSESSIVOS

Atribuem às pessoas do discurso posse sobre alguma coisa.	• 1ª pessoa do singular: **meu**, **minha**, **meus**, **minhas** • 2ª pessoa do singular: **teu**, **tua**, **teus**, **tuas** • 3ª pessoa do singular: **seu**, **sua**, **seus**, **suas** • 1ª pessoa do plural: **nosso**, **nossa**, **nossos**, **nossas** • 2ª pessoa do plural: **vosso**, **vossa**, **vossos**, **vossas** • 3ª pessoa do plural: **seu**, **sua**, **seus**, **suas**

PRONOMES DEMONSTRATIVOS

Indicam a posição dos objetos designados em relação às pessoas do discurso.	**Este**, **esta**, **estes**, **estas**, **isto** – mostram proximidade física ou temporal com a pessoa que fala. Exemplos: • **Este** livro que estou lendo é bom. • **Estas** pessoas aqui são minhas amigas. • **Este** mês está sendo ótimo para as vendas. **Isso**, **essa**, **esses**, **essas**, **aquilo**, **aquele**, **aquela** – mostram distanciamento físico ou temporal com a pessoa que fala. Exemplos: • Traga-me **esse** livro que você está lendo. • **Essa** história que você contou me pareceu estranha. • **Aquilo** é que era mulher!

FIQUE ATENTO!

Algumas palavras podem funcionar como pronomes demonstrativos, mesmo não o sendo normalmente. Nesse caso, elas substituem os demonstrativos no contexto.

Exemplos:

Tal idéia me era repugnante (aquela idéia...).

Seu carro é novo; **o** que eu aluguei é bem velho (esse que aluguei ou aquele que aluguei).

Semelhantes pessoas deveriam ser presas (aquelas pessoas...).

PRONOMES INDEFINIDOS

São os pronomes que se referem à 3ª pessoa do discurso, designando-a de modo vago, impreciso, indeterminado. Podem ser:

pronomes indefinidos substantivos: alguém, algo, fulano, sicrano, beltrano, nada, ninguém, outrem, quem, tudo

Exemplos:
- **Algo** o incomodava.
- **Quem** ama não maltrata.
- Acredita em tudo o que dizem **fulano** ou **sicrano**.

pronomes indefinidos adjetivos: cada, certo, certos, certa, certas

Exemplos:
- **Cada** região tem seu dono.
- **Certas** pessoas não falam muito.
- **Certos** dias nos aborrecem muito.

pronomes que funcionam ora como substantivos ora como adjetivos: algum, alguns, alguma, algumas, bastante, bastantes (= muito, muitos), demais, mais, menos, muito(s), muita(s), nenhum, nenhuns, nenhuma(s), outro(s), outra(s), pouco(s), pouca(s), qualquer, quaisquer, qual, que, quanto(s), quanta(s), tal, tais, tanto(s), tanta(s), todo(s), toda(s), um, uns, uma(s), vários, várias

Exemplos:
- **Alguns** contentam-se com pouco.
- Havia **bastantes** pessoas ali.
- **Menos** palavras e mais ação.
- Não sabemos **que** fazer.

locuções pronominais indefinidas: cada qual, cada um, qualquer um, quantos quer (que), quem quer (que), seja quem for, seja qual for, todo aquele (que), tal qual (= certo), tal e qual, tal ou qual, um ou outro, uma ou outra etc.

Exemplos:
- **Cada qual** sabe da sua vida.
- Apenas **uma ou outra** pessoa passava pela rua.
- **Qualquer um** mandava naquela casa.
- Manda prender **seja quem for**.

FIQUE ATENTO!

Os pronomes indefinidos que exprimem quantidade (**mais**, **menos**, **muito**, **pouco** etc.) funcionam como advérbio de intensidade quando modificam adjetivos, verbos ou advérbios:

Ele sempre come **pouco**.
Hoje está **mais** quente que ontem.

PRONOME RELATIVO

Substitui um substantivo ou pronome (antecedente) colocado antes dele na oração principal.

Relação dos pronomes relativos: o qual, os quais, cujo, cujos, quanto, quantos, a qual, as quais, cuja, cujas, quanta, quantas, quem, que, onde

Exemplos:
- A pessoa de **quem** falo é aquela.
- A casa **onde** moro é muito antiga.
- Qual é a pessoa **cujo** nome você esconde?
- O livro **que** comprei foi caro.

FIQUE ATENTO!

Quem – é um pronome relativo que só se aplica a pessoas. Vem sempre antecedido de preposição e equivale a **o qual**:

Aquele é o chato de **quem** me livrei (**do qual** me livrei).

Cujo e **cuja** – significam **do qual**, **da qual** e precedem sempre um substantivo sem artigo:

Qual é o animal **cujo** nome ele ignora? (cujo nome: "o nome d**o qual**").

Quanto(s) e **quanta(s)** – são pronomes relativos quando precedidos de um dos pronomes indefinidos **tudo**, **tanto(s)**, **todos**, **tanta(s)**, **todas**:

Tenho tudo **quanto** quero. Levarei tantos **quantos** quiser.

Onde – como pronome relativo, tem sempre antecedente e equivale a **em que**:

A casa **onde** moras é muito bela (**em que** moras...).

Os pronomes relativos são muito importantes no processo de estruturação do período, pois nos permitem reunir duas orações em uma só frase:

Das plantas nasciam flores. Essas flores cheiravam muito bem.
Das plantas nasciam flores **que** cheiravam muito bem.
O futebol é um esporte. O povo brasileiro gosta muito desse esporte.
O futebol é um esporte **de que** o povo brasileiro gosta muito.

PRONOMES INTERROGATIVOS

São usados quando se faz uma pergunta.
Aparecem nas interrogações diretas (com ponto de interrogação) ou indiretas (interrogação expressa no verbo da frase).
Pronomes interrogativos: **que?**, **quem?**, **qual?**, **quanto?**

Exemplos:

- **Quem** eram aquelas pessoas? (int. direta)
- Perguntaram **quem** eram aquelas pessoas. (int. indireta)
- **Que** procuras aqui? (ou: **o que** procuras aqui?)
- Quero saber **o que** procuras aqui. (int. ind.)

Ficha de apoio I

Pronomes demonstrativos

Pronome	Pessoa	Espaço	Tempo
ESTE ESTA ISTO	1ª (eu, nós) QUEM FALA **Isto** é meu. **Este** é meu carro. **Esta** é minha casa.	**Local próximo** **AQUI** **Este** é um bom livro. **Esta** cadeira é macia. **Isto** é muito bonito.	**Presente** **AGORA** **Este** mês está sendo quente. **Nesta** data de hoje, lembramos...
ESSE ESSA ISSO	**2ª (tu, vós)** COM QUEM SE FALA Tira **essa** roupa suja. Largue **isso**. Deixe **essa** moça em paz.	**Local afastado, intermediário** AÍ Dirijo-me a **essa** empresa... Deixe **isso** na minha mesa.	**Passado ou futuro próximo** Ontem fui a São Paulo, **nessa** visita... Um dia eu irei a Paris. **Nesse** dia ficarei realizado. Na semana passada discutimos. **Isso** me deixou arrasado.
AQUELE AQUELA AQUILO	**3ª (ele, eles)** ELEMENTO DO QUAL SE FALA **Aquele** diretor é muito competente. **Aquela** é uma mulher interessante. **Aquilo** não deu certo.	**Local ou situação distante.** **ALI, LÁ** Trouxemos **aqueles** objetos que você pediu. Você guardou **aquilo** que eu lhe dei?	**Passado remoto, distante** O fato aconteceu na minha infância. **Naquele** tempo eu morava no Rio.

Ficha de apoio II

Pronomes de tratamento

Destinatário	Vocativo	Tratamento	Abreviatura
de oficiais a coronel; funcionários graduados (diretores, superintendentes etc.)	Senhor + título (Senhor coronel, senhor diretor etc.)	Vossa Senhoria	V.Sª
monsenhores, cônegos, padres e religiosos	Reverendíssimo Senhor	Vossa Senhoria Reverendíssima ou Vossa Reverendíssima	V.Sª Revª ou V.Rev.mª
bispos e arcebispos	Reverendíssimo Senhor	Vossa Excelência Reverendíssima	V.Exª Revª
cardeais	Eminentíssimo Senhor	Vossa Eminência ou Vossa Eminência Reverendíssima	V.Emª ou V.Emª Revª
Papa	Santíssimo Padre	Vossa Santidade	V.S.
Reitores de universidade	Magnífico Reitor	Vossa Magnificência	V.Magª

Destinatário	Vocativo	Tratamento	Abreviatura
Procurador-Geral da República; Procurador-Geral do Estado; Procuradores-Gerais dos Tribunais; embaixadores; governadores de Estado e do Distrito Federal; presidente e membros das Assembléias Legislativas; secretários de Estado; membros do Congresso Nacional; presidente e membros do Supremo Tribunal Federal, Tribunal de Contas da União, Tribunais de Justiça, Tribunais Eleitorais e Regionais do Trabalho, Superior Tribunal de Justiça,	Excelentíssimo Senhor (o vocativo é válido para todas as autoridades citadas neste item)	Vossa Excelência (tratamento válido para todas as autoridades citadas neste item)	V.Exª

Destinatário	Vocativo	Tratamento	Abreviatura
Superior Tribunal Eleitoral, Superior Tribunal do Trabalho; Vice-Presidente da República; Chefe do Gabinete Civil e do Gabinete Militar da Presidência; Ministros de Estado; Oficiais-Generais; Consultor-Geral da República; Chefias do Estado-Maior do Exército, da Marinha, da Aeronáutica e das Forças Armadas; presidente e membros do Ministério Público	Excelentíssimo Senhor	Vossa Excelência	V.Exª
Juízes em geral e auditores da Justiça Militar	Meritíssimo Senhor Juiz (ou Excelentíssimo Senhor Juiz)	Vossa Excelência	V.Exª e MM

Destinatário	Vocativo	Tratamento	Abreviatura
Presidente da República	Excelentíssimo Senhor Presidente da República Federativa do Brasil	Vossa Excelência	Não se usa

O verbo

Palavra que exprime estado, ação ou fenômeno.
Os verbos variam em número, pessoa, modo, tempo e voz.

Número

Singular:	**Plural:**
• como, comes, come • ando, andas, anda	• comemos, comeis, comem • andamos, andais, andam

Pessoas

1ª pessoa: aquela que fala.	**2ª pessoa:** com quem se fala.	**3ª pessoa:** de quem se fala.
• Eu (singular) • Nós (plural)	• Tu (singular) • Vós (plural)	• Ele, ela (singular) • Eles, elas (plural)

Modos

Indicativo: exprime um fato certo, positivo.	**Subjuntivo:** enuncia um fato possível, duvidoso, hipotético.	**Imperativo:** exprime ordem, proibição, conselho, pedido.
• Eu como. • Ele anda.	• É possível que eu coma. • Se você andasse, chegaria logo.	• Coma logo. • Ande mais depressa. • Volte imediatamente.

Formas nominais do verbo

Infinitivo: o próprio nome do verbo.	**Gerúndio:** mostra uma ação em andamento.	**Particípio:** mostra a ação no passado.
• andar • comer • viver	• andando • comendo • vivendo	• andado • comido • vivido

FIQUE ATENTO!

Observações sobre o infinitivo:

a) o infinitivo pode ser **pessoal** ou **impessoal**.

Infinitivo pessoal é aquele que possui sujeito:

Para sermos felizes devemos lutar muito.

Infinitivo impessoal é o que não tem sujeito:

"Ser ou não ser, eis a questão".

b) o infinitivo pessoal pode ser flexionado ou não:

flexionado: andares, andarmos, andarem

não-flexionado: andar

Tempos

Presente (aqui e agora)	Pretérito (o passado, o ontem, o que já aconteceu)	Futuro (o que virá, o amanhã)
Eu ando. Ele come. Nós vivemos.	Eu esperei. Eu esperava. Eu esperara.	Eu andarei – eu andaria. Nós comeremos – nós comeríamos. Nós viveremos – nós viveríamos.

FIQUE ATENTO!

O pretérito se apresenta de três formas diferentes:

Pretérito perfeito: uma ação feita no passado e totalmente encerrada.

- Eu **comi.**
- Nós **andamos.**
- Ele **viveu.**

Pretérito imperfeito: uma ação feita no passado, mas não totalmente encerrada.

- Eu **comia.**
- Nós **andávamos.**
- Ele **vivia.**

Pretérito mais-que-perfeito: uma ação anterior a outra ação realizada no passado.

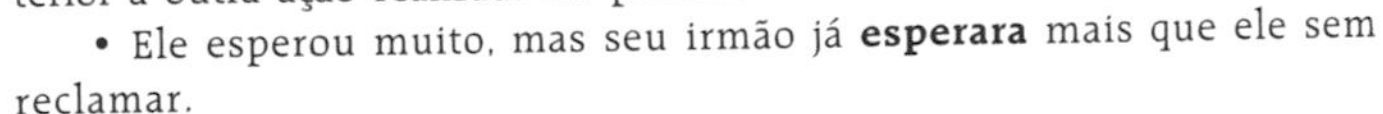

- Ele esperou muito, mas seu irmão já **esperara** mais que ele sem reclamar.
- Ele comeu bem, mas seu amigo já **comera** antes.

O futuro se apresenta de duas formas diferentes:

Futuro do presente: uma ação futura certa, garantida.

- Eu **andarei** pela rua.
- Nós **comeremos** amanhã.

Futuro do pretérito: uma ação futura atrelada a alguma condição, hipotética, possível, mas não certa.

- Eu **andaria** amanhã se não estivesse tão cansado.
- Ele **comeria** bem caso a comida lhe fosse agradável.

FORMAS DOS TEMPOS VERBAIS

Simples: apenas o próprio verbo.	Composto: o verbo mais um verbo auxiliar.
• Eu **ando**. • Eu **como**. • Eu **vivo**.	• Eu **tenho andado**. • Eu **havia comido**. • Nós **temos vivido**.

Vozes do verbo

Ativa: o sujeito pratica a ação.

- João **pintou** a varanda.
- Paulo **comeu** a carne.
- Ele **viveu** a vida.

Passiva: o sujeito sofre a ação. Divide-se em dois tipos: verbal ou analítica: com um verbo auxiliar (ser, estar, ficar) mais o particípio.

- A varanda **foi pintada** por João.
- A carne **foi comida** por Paulo.
- A vida **foi vivida** por ele.

pronominal ou sintética: com a partícula apassivadora **se**.

- Pintou-**se** a varanda.
- Comeu-**se** a carne.
- Viveu-**se** a vida.

Reflexiva: o sujeito pratica e sofre simultaneamente a ação.

- Paulo **feriu-se**.
- Ana **pintou-se**.
- Os cães **morderam-se**.

Formação do imperativo

Imperativo afirmativo:
tu e **vós** saem do **presente do indicativo** sem o **s** final.
você, **nós** e **vocês** saem do **presente do subjuntivo**.

Exemplo: verbo vender

vendo	venda
vendes..........vende (tu)	vendas
vende	venda.............venda (você)
vendemos	vendamos......vendamos (nós)
vendeis.........vendei (vós)	vendais
vendem	vendam.........vendam (vocês)

A forma final, então, fica assim: vende (tu)
venda (você)
vendamos (nós)
vendei (vós)
vendam (vocês)

Imperativo negativo:
todas as pessoas saem do **presente do subjuntivo** e acrescenta-se a palavra **não**.

não vendas tu
não venda você
não vendamos nós
não vendais vós
não vendam vocês

Observação: Não se usa a 1ª pessoa do singular do imperativo.

Classificação dos verbos

Regulares: são os verbos cujos radicais permanecem invariáveis durante a conjugação.

- **am**ar, **am**o, **am**amos, **am**arei, **am**aria, **am**ava

Irregulares: os radicais se alteram durante a conjugação:

- fazer, faço, faria, fiz, fez

▼

Defectivos: não são conjugados em todas as pessoas, tempos ou modos.
Abolir, colorir, banir, extorquir, feder: não possuem a 1ª pessoa do singular do presente do indicativo e não se conjugam no presente do subjuntivo. Os outros tempos são completos.
Reaver, precaver-se, falir, remir, adequar: no presente do indicativo só se conjugam na 1ª e 2ª pessoas do plural e não se conjugam no presente do subjuntivo. Nos outros tempos são completos.
Doer, acontecer, ocorrer: conjugam-se em todos os tempos, mas somente nas 3ªs pessoas.

Abundantes: verbos que possuem duas ou mais formas equivalentes, normalmente no particípio:
• ganhar (ganho e ganhado), matar (morto e matado), eleger (eleito e elegido)

Anômalos: verbos formados por mais de um radical.
• Só existem dois: **ser** e **ir**.

Auxiliar: o primeiro verbo de uma locução verbal, aquele que se flexiona.
• **Resolvemos** fazer – **Estive** pensando – **Quero** comprar.

Principal: é o segundo verbo de uma locução, o que encerra o sentido básico do grupo. Está sempre numa forma nominal.
• Queremos **sair** – Resolvemos **fazer** – Estive **analisando**.

Unipessoais: só são empregados na 3ª pessoa do singular ou na 3ª pessoa do singular e do plural. São eles:
Verbos que exprimem fenômenos da natureza (chover, ventar, nevar, gear etc.) só surgem na 3ª pessoa do singular: chove, venta, neva etc.
Verbos que exprimem as vozes dos animais (coaxar, latir, miar, grasnar etc.) só se empregam, normalmente, na 3ª pessoa do singular ou do plural: late, miam, cacarejam etc.

Pronominais: conjugados normalmente junto com um pronome oblíquo.
• Arrepender-**se**, queixar-**se**, suicidar-**se** etc.

Conjugações dos verbos

Primeira: vogal temática **a**	Segunda: vogal temática **e**	Terceira: vogal temática **i**
• cantar, andar, amar	• vender, ceder, comer **Obs.: pôr e seus derivados** pertencem à 2ª conjugação, mas sua vogal temática não aparece no infinitivo, embora surja quando são conjugados: • põe, pões, pusesse etc.	• sair, partir, sentir

FORMAS RIZOTÔNICA E ARRIZOTÔNICA

Rizotônica: a vogal temática fica no radical.	Arrizotônica: a vogal temática fica fora do radical.
• **a**ndo, l**u**to, f**a**ço	• esper**a**mos, quer**i**am, voltar**e**i

Ficha de apoio I

Conjugação completa dos verbos auxiliares ser, estar, ter e haver

MODO INDICATIVO

Presente

sou	estou	tenho	hei
és	estás	tens	hás
é	está	tem	há
somos	estamos	temos	havemos
sois	estais	tendes	haveis
são	estão	têm	hão

▼

Conjugação completa dos verbos auxiliares ser, estar, ter e haver			
Pretérito perfeito simples			
fui	estive	tive	houve
foste	estiveste	tiveste	houveste
foi	esteve	teve	houve
fomos	estivemos	tivemos	houvemos
fostes	estivestes	tivestes	houvestes
foram	estiveram	tiveram	houveram
Pretérito perfeito composto			
tenho sido	tenho estado	tenho tido	tenho havido
tens sido	tens estado	tens tido	tens havido
tem sido	tem estado	tem tido	tem havido
temos sido	temos estado	temos tido	temos havido
tendes sido	tendes estado	tendes tido	tendes havido
têm sido	têm estado	têm tido	têm havido
Pretérito imperfeito			
era	estava	tinha	havia
eras	estavas	tinhas	havias
era	estava	tinha	havia
éramos	estávamos	tínhamos	havíamos
éreis	estáveis	tínheis	havíeis
eram	estavam	tinham	haviam
Pretérito mais-que-perfeito simples			
fora	estivera	tivera	houvera
foras	estiveras	tiveras	houveras
fora	estivera	tivera	houvera
fôramos	estivéramos	tivéramos	houvéramos
fôreis	estivéreis	tivéreis	houvéreis
foram	estiveram	tiveram	houveram
Pretérito mais-que-perfeito composto			
tinha sido	tinha estado	tinha tido	tinha havido
tinhas sido	tinhas estado	tinhas tido	tinhas havido
tinha sido	tinha estado	tinha tido	tinha havido
tínhamos sido	tínhamos estado	tínhamos tido	tínhamos havido
tínheis sido	tínheis estado	tínheis tido	tínheis havido
tinham sido	tinham estado	tinham tido	tinham havido

Conjugação completa dos verbos auxiliares ser, estar, ter e haver			
Futuro do presente simples			
serei	estarei	terei	haverei
serás	estarás	terás	haverás
será	estará	terá	haverá
seremos	estaremos	teremos	haveremos
sereis	estareis	tereis	havereis
serão	estarão	terão	haverão
Futuro do presente composto			
terei sido	terei estado	terei tido	terei havido
terás sido	terás estado	terás tido	terás havido
terá sido	terá estado	terá tido	terá havido
teremos sido	teremos estado	teremos tido	teremos havido
tereis sido	tereis estado	tereis tido	tereis havido
terão sido	terão estado	terão tido	terão havido
Futuro do pretérito simples			
seria	estaria	teria	haveria
serias	estarias	terias	haverias
seria	estaria	teria	haveria
seríamos	estaríamos	teríamos	haveríamos
seríeis	estaríeis	teríeis	haveríeis
seriam	estariam	teriam	haveriam
Futuro do pretérito composto			
teria sido	teria estado	teria tido	teria havido
terias sido	terias estado	terias tido	terias havido
teria sido	teria estado	teria tido	teria havido
teríamos sido	teríamos estado	teríamos tido	teríamos havido
teríeis sido	teríeis estado	teríeis tido	teríeis havido
teriam sido	teriam estado	teriam tido	teriam havido

Conjugação completa dos verbos auxiliares ser, estar, ter e haver

MODO SUBJUNTIVO

Presente			
seja	esteja	tenha	haja
sejas	estejas	tenhas	hajas
seja	esteja	tenha	haja
sejamos	estejamos	tenhamos	hajamos
sejais	estejais	tenhais	hajais
sejam	estejam	tenham	hajam

Pretérito imperfeito			
fosse	estivesse	tivesse	houvesse
fosses	estivesses	tivesses	houvesses
fosse	estivesse	tivesse	houvesse
fôssemos	estivéssemos	tivéssemos	houvéssemos
fôsseis	estivésseis	tivésseis	houvésseis
fossem	estivessem	tivessem	houvessem

Pretérito mais-que-perfeito			
tivesse sido	tivesse estado	tivesse tido	tivesse havido
tivesses sido	tivesses estado	tivesses tido	tivesses havido
tivesse sido	tivesse estado	tivesse tido	tivesse havido
tivéssemos sido	tivéssemos estado	tivéssemos tido	tivéssemos havido
tivésseis sido	tivésseis estado	tivésseis tido	tivésseis havido
tivessem sido	tivessem estado	tivessem tido	tivessem havido

Futuro simples			
for	estiver	tiver	houver
fores	estiveres	tiveres	houveres
for	estiver	tiver	houver
formos	estivermos	tivermos	houvermos
fordes	estiverdes	tiverdes	houverdes
forem	estiverem	tiverem	houverem

Conjugação completa dos verbos auxiliares ser, estar, ter e haver			
Futuro composto			
tiver sido tiveres sido tiver sido tivermos sido tiverdes sido tiverem sido	tiver estado tiveres estado tiver estado tivermos estado tiverdes estado tiverem estado	tiver tido tiveres tido tiver tido tivermos tido tiverdes tido tiverem tido	tiver havido tiveres havido tiver havido tivermos havido tiverdes havido tiverem havido
MODO IMPERATIVO			
Afirmativo			
sê (tu) seja (você) sejamos (nós) sede (vós) sejam (vocês)	está (tu) esteja (você) estejamos (nós) estai (vós) estejam (vocês)	tem (tu) tenha (você) tenhamos (nós) tende (vós) tenham (vocês)	há (tu) haja (você) hajamos (nós) havei (vós) hajam (vocês)
Negativo			
não sejas (tu) não seja (você) não sejamos (nós) não sejais (vós) não sejam (vocês)	não estejas (tu) não esteja (você) não estejamos (nós) não estejais (vós) não estejam (vocês)	não tenhas (tu) não tenha (você) não tenhamos (nós) não tenhais (vós) não tenham (vocês)	não hajas (tu) não haja (você) não hajamos (nós) não hajais (vós) não hajam (vocês)
INFINITIVO			
Impessoal			
ser	estar	ter	haver

Conjugação completa dos verbos auxiliares ser, estar, ter e haver			
Pessoal			
ser	estar	ter	haver
seres	estares	teres	haveres
ser	estar	ter	haver
sermos	estarmos	termos	havermos
serdes	estardes	terdes	haverdes
serem	estarem	terem	haverem
GERÚNDIO			
sendo	estando	tendo	havendo
PARTICÍPIO			
sido	estado	tido	havido

Ficha de apoio II

Alguns verbos problemáticos

Caber, presente do indicativo: caibo, cabes, cabe, cabemos, cabeis, cabem.

Valer, presente do indicativo: valho, vales, vale, valemos, valeis, valem.

Crer, pretérito perfeito: cri, creste, creu, cremos, crestes, creram.

Roubar, estourar, inteirar, dourar, aleijar etc., presente do indicativo: roubo, estouro, inteiro, douro, aleijo; esses verbos mantêm o ditongo do infinitivo.

Aderir, competir, impelir, expelir, divergir, discernir, preterir etc., presente do indicativo: adiro, aderes, adere; impilo, impeles, impele; discirno, discernes, discerne; pretiro, preteres, pretere.

Aguar, desaguar, enxaguar, minguar, presente do indicativo: águo, águas, água, aguamos, aguais, águam (todos com essa pronúncia). No presente do subjuntivo, os verbos ficam assim: ágüe, ágües, ágüe, agüemos, agüeis, ágüem.

Alguns verbos problemáticos
Argüir, presente do indicativo: arguo (u tônico), argúis, argúi, argüimos, argüis, argúem.
Averiguar, apaziguar, obliquar, presente do indicativo: averigúe, averigúes, averigúe, averigüemos, averigüeis, averigúem.
Mobiliar, presente do indicativo: mobílio, mobílias, mobília, mobiliamos, mobiliais, mobíliam.
Mobiliar, presente do subjuntivo: mobílie, mobílies, mobílie, mobiliemos, mobilieis, mobíliem.
Polir, presente do indicativo: pulo, pules, pule, polimos, polis, pulem.
Polir, presente do subjuntivo: pula, pulas, pula, pulamos, pulais, pulam.
Passear, cear, recear, falsear, pentear, nomear (e demais verbos terminados em EAR), presente do indicativo: passeio, passeias, passeia, passeamos, passeais, passeiam. Idem, presente do subjuntivo: passeie, passeies, passeie, passeemos, passeeis, passeiem. Obs.: o ditongo EI só aparece nas formas rizotônicas, por isso mesmo apenas nos dois presentes e no imperativo.
Mediar, ansiar, remediar, incendiar, odiar e intermediar, presente do indicativo: anseio, anseias, anseia, ansiamos, ansiais, anseiam. São os únicos terminados em IAR que apresentam o ditongo EI nas formas rizotônicas, a exemplo dos verbos terminados em EAR.
Reaver, presente do indicativo: reavemos, reaveis. Idem, pretérito perfeito: reouve, reouveste, reouve, reouvemos, reouvestes, reouveram. Idem, futuro do subjuntivo: reouver, reouveres, reouver, reouvermos, reouverdes, reouverem.
Saudar, amiudar, abaular, presente do indicativo: saúdo, saúdas, saúda, saudamos, saudais, saúdam.
Repor, impor, compor, depor, contrapor etc.: conjugam-se integralmente pelo verbo PÔR. Componho, compões, compõe; impus, impuseste, impôs; depuser, depuseres, depuser.

Alguns verbos problemáticos

Intervir, advir, provir, desavir, convir etc.: seguem a conjugação do verbo VIR.
Intervim, intervieste, interveio; provier, provieres, provier; advenha, advenhas, advenha.

Conter, manter, deter, reter etc.: conjugam-se da mesma forma que o verbo TER.
Contivera, contiveras, contivera; mantivesse, mantivesses, mantivesse; detive, detivestes, deteve.

Rever, prever, antever etc.: conjugados pelo verbo VER.
Prevejo, prevês, prevê; antevi, anteviste, anteviu; revir, revires, revir.

Prover: segue o verbo VER, menos no pretérito perfeito (provi, proveste, proveu), no pretérito mais-que-perfeito (provera, proveras, provera), no imperfeito do subjuntivo (provesse, provesses, provesse), no futuro do subjuntivo (prover, proveres, prover) e no particípio (provido).

Requerer: da mesma forma que prover, não segue o verbo primitivo no pretérito perfeito (requeri, requereste, requereu) e nos tempos dele derivados (requerera, requeresse, requerer); no presente do indicativo, faz requeiro, requeres, requer.

*Essa relação dos verbos complicados foi reproduzida literalmente do livro *Português para Concursos*, do professor Renato Aquino, por especial cortesia do autor.

Ficha de apoio III

Verbos abundantes

Os verbos abundantes são aqueles que apresentam **duplo particípio**, como *ganhar* (ganho e ganhado), *gastar* (gasto e gastado) e outros mais.
Os particípios podem ser **regulares** (terminação em *ado* e *ido* – matado/elegido) e **irregulares** (terminação em *to* e *do* – morto/eleito).
Os particípios regulares são usados com os auxiliares **ter** e **haver** na **voz ativa** (invariáveis); os irregulares são usados com os verbos **ser**, **estar** e **ficar** na **voz passiva** (flexionam em número e gênero).

Verbos abundantes			
aceitar	aceitado	aceito	• Eu havia **aceitado** o convite. • O convite foi **aceito** por mim.
acender	acendido	aceso	• Nós tínhamos **acendido** a fogueira. • O fogo foi **aceso** por todos.
completar	completado	completo	• Ela havia **completado** o álbum. • O álbum estava **completo**.
eleger	elegido	eleito	• Ele traiu o povo que o havia **elegido**. • Foi **eleito** com milhões de votos.
fartar	fartado	farto	• Havia se **fartado** no almoço. • Estava **farto** de tantos absurdos.
envolver	envolvido	envolto	• Ele havia **envolvido** os amigos no jogo. • Tudo estava **envolto** em sombras.
ganhar	ganhado	ganho	• Havia **ganhado** o jogo. • O jogo foi **ganho** nos primeiros minutos.
entregar	entregado	entregue	• Eu tinha **entregado** o material. • O material foi **entregue** lá em casa.
juntar	juntado	junto	• Ele havia **juntado** dinheiro a vida inteira. • Quando morreu, o dinheiro **junto** por ele foi para o governo.
findar	findado	findo	• O prazo havia **findado** há dias. • **Findo** o prazo, fomos embora.

▼

Verbos abundantes			
isentar	isentado	isento	• O juiz o tinha **isentado** de qualquer culpa. • Ele estava realmente **isento** de culpa.
limpar	limpado	limpo	• Ela havia **limpado** a casa de manhã. • O material foi **limpo** antes da operação.

Existem ainda outros verbos abundantes, por exemplo: enxugar (enxugado e enxuto), desenvolver (desenvolvido e desenvolto), revolver (revolvido e revolto), suspender (suspendido e suspenso) etc.

Cuidado com três verbos que não são abundantes: **falar** (particípio: falado), **trazer** (particípio: trazido) e **chegar** (particípio: chegado).

Há uma grande discussão gramatical acerca do verbo **pegar**. Alguns gramáticos, como Rocha Lima, só aceitam a variante "pegado"; outros, como Domingos Paschoal Cegalla, o aceitam como verbo abundante, mencionando os dois particípios "pegado" e "pego". Em um concurso, caso haja bibliografia, siga a linha dos autores indicados; caso não haja, aceite o verbo como abundante.

AS PALAVRAS INVARIÁVEIS

O advérbio

O advérbio é a palavra que modifica o sentido do verbo, do adjetivo e do próprio advérbio.

Classificação

de afirmação: sim, certamente, efetivamente, realmente etc.	• Ele **certamente** sabe o que faz. • Nós iremos à festa, **sim**. • Estou **realmente** cansado.
de dúvida: talvez, quiçá, possivelmente, provavelmente etc.	• **Talvez** chova no carnaval. • **Possivelmente** chegaremos tarde. • Eles **provavelmente** virão.
de intensidade: muito, pouco, bastante, mais, menos etc.	• Choveu **muito** durante a noite. • Eles estavam **bastante** cansados.
de lugar: aqui, lá, acolá, acima, dentro, fora etc.	• Ele morava **aqui**. • Encontrei-o **lá**.
de tempo: agora, já, hoje, amanhã, cedo, tarde etc.	• Quero ver o diretor **agora**. • **Amanhã** será tarde demais.
de modo: assim, bem, mal, depressa, devagar (e grande parte das palavras terminadas em –mente, como felizmente, solitariamente etc.)	• Tudo correu **bem**. • Ele passou **mal** durante o jantar. • Vivia a vida **solitariamente**.
de negação: não, nunca, tampouco etc.	• **Não** aceito suas desculpas. • **Não** aceito as desculpas e **tampouco** quero vê-la novamente.

LOCUÇÕES ADVERBIAIS

São duas ou mais palavras atuando com o valor de um advérbio.

Exemplos:

- Ele morreu **de fome**. (de causa)
- Comeu a carne **com as mãos**. (de instrumento)
- Conversamos **sobre música**. (de assunto)
- Sairei **com meus amigos**. (de companhia)
- Voltaram **apesar da chuva**. (de concessão)
- Só viajará **com permissão dos pais**. (de condição)
- Fez os trabalhos **conforme as instruções**. (de conformidade)
- Preparou-se **para a festa**. (de finalidade)
- Viajou **de ônibus**. (de meio)

ADVÉRBIOS INTERROGATIVOS

Onde, **quando**, **como**, **quanto** (**quanta**, **quantas**, **quantos**) e **por que** indicando lugar, tempo, modo e causa nas perguntas diretas e indiretas.

- **Onde** ele estuda? (direta)
- Quero saber **onde** ele estuda. (indireta)
- **Como** se vai a esse lugar? (direta)
- Informe **como** se vai a esse lugar. (indireta)
- **Por que** ele não veio? (direta)
- Pergunto-lhe **por que** ele não veio. (indireta)

Os graus do advérbio

COMPARATIVO

Comparativo de igualdade:
Tão + advérbio + quanto (como)
Chegou **tão tarde quanto** a irmã.

Comparativo de superioridade:
Mais + advérbio + (do) que
Ele chegou **mais tarde que** o amigo.

Comparativo de inferioridade: menos + advérbio + (do) que
Ele chegou **menos tarde que** o amigo.

SUPERLATIVO	
Sintético: A presença do sufixo indica o grau. • Cheguei **cedíssimo**. • Falou **pessimamente**.	**Analítico:** A indicação de aumento é feita por outro advérbio. • Eu cheguei **muito cedo**. • Ele falou **extremamente mal**.

Palavras denotativas

São palavras semelhantes a advérbios e que não possuem classificação especial.

Palavras denotativas **de inclusão**: até, inclusive, também etc.	• **Até** ele aderiu à corrupção. • Nós **também** fomos à festa.
Palavras denotativas **de exclusão**: apenas, salvo, exceto, menos etc.	• Todas, **exceto** ela, eram simpáticas. • **Salvo** um aluno, os outros serão aprovados.
Palavras e expressões denotativas **de explicação e/ou retificação**: isto é, por exemplo, a saber, ou seja, ou melhor, aliás etc.	• Você, **por exemplo**, é um bom sujeito. • O nosso país, **isto é**, o Brasil... • O chefe, **ou melhor**, aquele que ocupava temporariamente a chefia...
Palavras e expressões denotativas **de realce (expletivas)**: cá, lá, é que etc.	• Eu **é que** não sei de nada. • E eu **lá** tenho algo a ver com isso?
Palavras denotativas **de situação**: agora, afinal, então etc.	• **Afinal**, quem era ele? • **Então**, o que você me diz?
Palavra denotativa **de designação**: eis.	• **Eis** o homem!

FIQUE ATENTO!

1. Os advérbios e as locuções adverbiais são classificados sintaticamente como adjuntos adverbiais.

Exemplo:

Você agiu **mal**.

Mal – advérbio de modo (classe da palavra).

Mal – adjunto adverbial de modo (função sintática).

2. Um mesmo advérbio pode ser classificado de modos diferentes, dependendo da circunstância que exprime.

Exemplos:

Vive-se **mal** em alguns lugares – **mal: advérbio de modo**.

Mal eu cheguei, começamos a reunião – **mal: advérbio de tempo**.

3. Quando há a coordenação de diversos advérbios terminados em **–mente**, pode-se usar o sufixo apenas no último advérbio.

Exemplo:

Ela dormia **tranqüila**, **calma** e **sossegadamente**.

4. A palavra **só** é advérbio quando equivale a **somente**. Quando equivaler a **sozinho(a)**, deve ser classificada como adjetivo.

Exemplos:

Eu **só** quero paz – advérbio (quero **somente** paz).

Ele vivia **só**, na floresta – adjetivo (**sozinho**).

A preposição

É a palavra que liga dois termos da oração ou da expressão, subordinando um ao outro.

Classificação

Preposições essenciais: a, ante, após, até, com, contra, de, desde, em, entre, para, perante, por, sem, sob, sobre, trás.

Exemplos:
- Ele chegou **de** ônibus.
- Ele lutou **até*** a morte.
- Vivia **sob** as estrelas.

*Se a palavra **até** equivaler a **inclusive**, será palavra de inclusão e não preposição:
- Os sonhadores amam **até** quem os maltrata (inclusive...)

Preposições acidentais: palavras de outras classes funcionando eventualmente como preposições: que, conforme, segundo, como, salvo, fora, mediante, durante etc.

Exemplos:
- Eu tenho **que** decidir sozinho.
- Chegou **durante** a noite.

Locuções prepositivas: grupos de palavras que funcionam como preposições. Terminam sempre com uma preposição simples: abaixo de, acerca de, à frente de, a fim de, à espera de, à procura de, graças a, à beira de, de acordo com, junto de, junto a, através de etc.

Exemplos:
- Ele estava **à procura de** trabalho.
- Vivia **a fim de** incomodar os outros.
- Enxerguei-o **através da** janela.

FIQUE ATENTO!

As preposições podem unir-se a outras palavras, formando um só vocábulo.

Quando a preposição perde fonemas, temos uma **contração**.

Exemplos:

do (de + o), da (de + a), desta (de + esta).

Quando não há perda de fonemas, temos uma **combinação**.

Exemplos:

ao (a + o), aos (a + os), aonde (a + onde).

A conjunção

Palavra que liga duas orações ou duas palavras.

Classificação

Coordenativas: ligam orações coordenadas:	**Subordinativas:** ligam uma oração principal a uma subordinada:
Ele chegou **e** saiu apressado. Não estuda, **mas** trabalha muito.	Sei **que** ela voltará. Parece **que** tudo vai bem.

A interjeição

Palavra com a qual exprimimos sentimentos e emoções.

Quando os sentimentos ou emoções são expressos por grupos de palavras, temos as locuções interjetivas.

A interjeição é quase sempre seguida de ponto de exclamação.

Interjeições são consideradas palavras-frase, e não exercem função sintática.

Interjeições:	**Locuções interjetivas:**
Ah!, oba!, cuidado!, atenção!, passa!, eia!, bis!, olá!, ai!, ui!, hum!, hem!, psiu!	Ora bolas!, cruz credo!, se Deus quiser!, mais um!

CAPÍTULO 2

ESTRUTURA DAS PALAVRAS

FORMAÇÃO DE PALAVRAS

ESTRUTURA DAS PALAVRAS

Morfemas São os elementos significativos que formam a palavra.	**Vend-ê-sse-mos** – quatro morfemas: • **Vend-** – radical • **-e** – vogal temática • **-sse** – desinência modo-temporal • **-mos** – desinência número-pessoal
Radical É o elemento que encerra a base do significado da palavra. O radical é o elemento comum a palavras de uma mesma família. As palavras que contêm o mesmo radical são chamadas **palavras cognatas**.	• **ferr**o **pedr**a • **ferr**agem **pedr**eira • **ferr**eiro **pedr**egulho • **ferr**ugem **pedr**ada
Eventualmente, o radical pode apresentar **variantes** **(alomorfes)**, mas isso não impede que continuem sendo cognatas.	• **pedr**a e **pétr**eo.
Afixos Elementos que se unem ao radical para criar novas palavras. Podem ser:	
Prefixos: quando vêm **antes** do radical.	• **in**feliz, **i**mortal, **bis**neto, **re**fazer
Sufixos: quando vêm **após** o radical.	• feliz**mente**, leal**dade**, cozinh**eiro**

Vogal temática É a vogal que se une ao radical, formando com ele o **tema** da palavra. Nos verbos, a vogal temática caracteriza a conjugação.	**Casar** Vogal temática: **a** • tema: **casa** Cant**ar** • vogal temática **a** – 1ª conjugação Beb**er** • vogal temática **e** – 2ª conjugação Sa**ir** • vogal temática **i** – 3ª conjugação
Vogais e consoantes de ligação São fonemas que se inserem entre os elementos mórficos para uni-los e facilitar a pronúncia.	• silv-**í**-cola, cafe-**t**-eira, pe-**z**-inho, cafe-**i**-cultura, gas-**ô**-metro, cacau-**i**-cultor
Desinências São os elementos terminais que indicam a flexão das palavras. Nominais: indicam gênero e número dos nomes. Verbais: indicam número, pessoa, modo e tempo dos verbos.	• menin-**o** (masculino singular) • menin-**as** (feminino plural) • am-**o**, ama-**s**, ama-**mos**, ama-**is**, ama-**m** • ama-**va**, ama-**va**-**s**, ama-**va** etc. A desinência –**o**, de am-**o**, é **número-pessoal** (indica 1ª pessoa do singular). A desinência –**va**, de **ama-va**, é **modo-temporal** (indica o pretérito imperfeito do indicativo da 1ª conjugação)

FORMAÇÃO DE PALAVRAS

Classificação

Simples: apenas um radical:
céu, **vida**, **rio**, **riso**

Composta: mais de um radical:
beija-flor, **passatempo**, **aguardente**, **guarda-noturno**
*as palavras compostas podem ter seus elementos ligados ou não por hífen.

Primitiva: é a palavra que não deriva de nenhuma outra:
água, **terra**, **fogo**, **mar**

Derivada: é aquela que se formou de outra, geralmente por meio de um afixo:
aguaceiro, **terrestre**, **fogaréu**, **maremoto**

Processos de formação de palavras

POR DERIVAÇÃO

Prefixal: por meio de um prefixo.	**Sufixal:** por meio de um sufixo.	**Prefixal e sufixal:** prefixo e sufixo.
Exemplos:	Exemplos:	Exemplos:
• **in**feliz	• felici**dade**	• **in**felici**dade**
• **des**leal	• leal**dade**	• **des**leal**dade**
• **i**mortal	• mortali**dade**	• **i**mortali**dade**

Parassintética: um prefixo e um sufixo colocados simultaneamente. Nem um nem outro podem ser retirados.
Exemplos:
- **em**pobrec**er**
- **des**alm**ado**
- **des**membr**ado**

Regressiva: há uma diminuição da palavra. Geralmente são substantivos derivados de verbos (também chamada derivação deverbal).
Exemplos:
- luta (de lutar)
- canto (de cantar)
- muda (de mudar)
- choro (de chorar)

Derivação imprópria: mudança da classe gramatical de uma palavra com extensão da sua significação.
Exemplos:
- os **bons**, os **maus** (adjetivos passam a substantivos)
- o **passado**, o **amado** (particípios passam a substantivos ou adjetivos)
- o **viver**, o **andar** (infinitivos passam a substantivos)

POR COMPOSIÇÃO

Justaposição: os radicais se unem sem alteração fonética.
Exemplos:
- couve-flor
- caneta-tinteiro
- passatempo
- girassol
- minissaia

Aglutinação: ocorre qualquer alteração fonética.
Exemplos:
- fidalgo (filho de algo)
- aguardente (água ardente)
- pernilongo (pernas longas)
- planalto (plano alto)

OUTROS PROCESSOS

Hibridismo: soma de elementos oriundos de línguas diferentes.
Exemplos:
- automóvel (*auto*: grego; *móvel*: latim)
- sociologia (*socio*: latim; *logia*: grego)
- televisão (*tele*: grego; *visão*: latim)

▼

Onomatopéia: palavras que procuram reproduzir sons, ruídos e vozes dos seres.
Exemplos:

- tique-taque
- zunzum
- cacarejar
- miar
- fon-fon
- sibilar

Abreviação ou redução: uso de uma forma reduzida que eventualmente chega a substituir a forma original.
Exemplos:

- foto (por fotografia)
- cine (por cinema)
- moto (por motocicleta)
- pólio (por poliomielite)
- pneu (por pneumático)

Ficha de apoio I

Radicais e prefixos latinos mais usados

Prefixos	Sentido	Exemplos
abs, **ab**	afastamento	abster, abstrair, abdicar, aberrar, abjurar, abuso
acer, **acri**	azedo	acerbo, acrimônia
ad **a** (forma vernácula)	movimento para, aproximação	adjacente, adjunto, adorar, adventício, advogado abraçar, amadurecer, avivar
agri	campo	agricultura, agricultor
algeo	ter frio	álgido
alius	outro	alienado, alienígena
alter, **altri**	outro	alteração, alterado
ambi	duplicidade	ambidestro, ambiente, ambigüidade

Prefixos	Sentido	Exemplos
âmbulo	caminhar	sonâmbulo, ambulante
ango	apertar	angina, angústia
animi	alma; ânimo	anímico, animado, animação
ante	anterioridade, procedência	antebraço, anteceder, antedatar, anteontem, antepor, ante-sala *em "antolhos" tem a forma **ant-**
apis	abelha	apicultura, apicultor
arbori	árvore	arborizar
argenti	prata	argentino, argênteo
audio	ouvir	audiência, audição
auri	ouro	aurífero, áureo
avi	ave	avicultor, aviação
beli	guerra	bélico, beligerância
bene, bem, ben	bem	benéfico, beneficência, benemerência
bis, bi	repetição	bisavô, biscoito, bisneto, biênio, bimestre
bore	norte	boreal, hiperbóreo
cado	cair	cadente, decadência
caleo	esquentar	acalentar, caldo
calori	calor	caloria, calorífero
canus	branco	encanecer, candidato
capiti	cabeça	decapitar, capitão
celum	céu	celeste

Prefixos	Sentido	Exemplos
cida	que mata	vermicida, formicida, homicida
circum, circun	movimento em torno	circunferência, circunlóquio, circumpolar, circunscrito *em "circuito" assume a forma **circu**
cis	posição aquém	cisatlântico, cisandino, cisplatino
cola	que habita	arborícola, silvícola
cole, colo	pescoço	colar, colarinho
color	cor, coloração	colorido, multicor
contra	oposição	contradizer, contrapeso, contrapor, contraveneno
cordi	coração	cordial, cordialidade
corni	chifre	cornudo, cornos
credo	crer	incrédulo, credulidade
crimino	crime	criminoso, criminalidade
cum **com, con, co, cor** (formas vernáculas)	concomitância, reunião	cúmplice, cumprir, combater, combinar, consoante, condensar, correligionário, corroborar, coexistir, comover, colaborar, colégio
cura	cuidado	curativo, curador
de	movimento de cima para baixo	decapitar, decrescer, deformar, demolir, depenar

Prefixos	Sentido	Exemplos
des	separação, privação, ação contrária, negação	desfazer, desfolhar, desleal, desmascarar, desonesto, desprotegido, desvalido
dis, di	movimento para diversos lados, ação contrária	discordar, discutir, disseminar, distender, diminuir, divagar, difícil
digiti	dedo	digital, digitar
disco	aprender	discípulo, disciplina
doceo	ensinar	docente, docilidade
edi	casa	edifício, edificação
ego	eu	egocentrismo, egocêntrico, egoísta
en, em	movimento para dentro, oposição	engarrafar, embate
equi	igual	equivalente, equivalência, equilíbrio
evo	idade	longevo, medievo
ex **es**, **e** (formas vernáculas)	movimento para fora, estado anterior	excêntrico, expatriar, expectorar, expor, exportar, esburacar, escorrer, estender, efusão, emigrar, eleger, evadir
extra	movimento para fora, excesso	extralingüístico, extramuros, extraordinário
falor	enganar	falir, falsário
fero	que contém, que produz	aurífero, aqüífero, mamífero
fico	que faz, que produz	frigorífico, maléfico

Prefixos	Sentido	Exemplos
fide	fé	fidelidade, fidedigno
fili	filho	filiação, filial
fluvios	rio	fluvial, eflúvio
gero	que contém, que produz	belígero
gradu	grau, passo	graduação, gradual
herbi	erva	herbicida, herbívoro
homini	homem	homicídio
igni	fogo	ignição, ígneo
in, **i**: dois prefixos	movimento para dentro (contrário de **ex**) negação, privação	incrustar, ingerir, importar, imprimir, incapaz, incômodo, indecente, infeliz, impuro; irromper, irrigar, iludir, iluminar, imigrar, ilícito, imutável também aparece como **em**: enraizar, enterrar, entroncar
inter **entre** (forma vernácula)	posição no meio	interamericano, internacional, interplanetário, intervir; entreabrir, entreato, entrelaçar, entrelinha, entrever
intra	posição dentro de alguma coisa	intramuscular, intravenoso, intraverbal
intro	movimento para dentro	introduzir, intrometer, introspecção

Prefixos	Sentido	Exemplos
jus, juri	direito	jurisdição, jurídico
labori	trabalho	elaborar, colaborar
lapidi	pedra	lapidar, lapidação
lego	ler	legível
litera	letra	literal, literatura
leni	brando, ameno	lenitivo
loquo	que fala	loquaz, eloqüente
ludi	jogo	lúdico, prelúdio
magni	grande	magnífico, magnitude
male	mal	malefício, maledicência
mani	mão	manual, manicura
mater, matri	mãe, principal	maternidade, matriz
mini	muito pequeno	miniatura, mínimo
ob, o	posição em frente	obstáculo, obstar, obstruir, obter, obviar; ocorrer, ocupar, ofício, ofuscar, opor, oportuno, omissão
per	movimento através	percorrer, perdurar, perfurar, perplexo, permeável
pre	anterioridade	preceder, precipitar, prefácio, prefixo, preliminar, prevenir
pro	movimento para a frente	progresso, promover, prometer, propelir, prorromper, prosseguir
re	movimento para trás, repetição	refluir, refrear, regredir, reatar, reaver, reconstruir, redizer, renascer

▼

Prefixos	Sentido	Exemplos
retro	movimento mais para trás	retroagir, retrocesso, retrógrado, retrospectivo
semi	metade	semicírculo, semideus, semimorto
super **sobre** (forma vernácula)	posição em cima	supercílio, supérfluo, superpor, superprodução; sobrescrito, sobreviver, sobrepor
supra	também posição em cima	supracitado, supra-renal, supradito
sub, **sus**, **su** **sob**, **so** (formas vernáculas)	movimento para baixo, posição inferior	subjugar, submeter, subverter, subdiretor, subumano, suboficial, sub-raça; suscitar, suspender, sustentar, suster; suceder, sufocar, sugerir; sobpor, sobraçar, soerguer, soterrar *em "sorrir" deu-se a assimilação do **b** ao **r** (sob + rir)
trans, **tras**, **tres**, **tra**	passar além de	transbordar, transpor, transluzir; trasladar, transmudar, tresmalhar, tresnoitado, tradição, traduzir, transpassar (traspassar ou trespassar)

Prefixos	Sentido	Exemplos
ultra	posição além do limite	ultra-liberal, ultramarino, ultrapassar, ultra-realista
vice	em lugar de	vice-cônsul, vice-presidente, vice-rei *em "visconde" altera-se para **vis**

Ficha de apoio II

Radicais e prefixos gregos mais usados

Radicais / Prefixos	Sentido	Exemplos
a (antes de consoante) **an** (antes de vogal)	privação, negação	anarquia, anômalo, anônimo, ateu, acéfalo, afônico
acro	alto, extremo	acrópole, acrofobia
era, **aero**	ar	aeronave, aeronáutica
agogo	o que conduz	pedagogo, demagogo
agro	campo	agricultura
algia	dor	nevralgia
andro	homem, macho	andropausa, andrógino
antropo	homem	antropologia, antropófago
amphi	de um e outro lado	anfíbio, anfibologia, anfiteatro, ânfora

▼

Radicais / Prefixos	Sentido	Exemplos
aná	movimento de baixo para cima, inversão; repetição	anagrama, análise, analogia, anástrofe, anabatista
anti	oposição	antagonista, antídoto, antipatia, antípoda, antítese, antiaéreo, anti-integralista
apó	afastamento	apogeu, apóstata, apóstolo, apoteose
árkhi	posição em cima	arcanjo, arcebispo, arquétipo, arquipélago, arquiteto
atmo	gás, vapor	atmosfera
baro	pressão	barômetro
biblio	livro	biblioteca
bio	vida	biologia
caco	mau	cacofonia, cacófato
calo	belo	caligrafia
cardio	coração	cardiologia
cefalo	cabeça	acéfalo, cefalgia
clepto	furto	cleptomania
cripto	oculto	criptograma, criptografia
datilo	dedo	datilografia
demo	povo	democracia
diá	movimento através	diâmetro, diáfano, diafragma, diagnóstico, diagonal
dys	dificuldade	dispnéia, dispepsia, disenteria

Radicais / Prefixos	Sentido	Exemplos
ek (usa-se **ec** antes de consoante) **ex** (antes de vogal)	movimento para fora	eclipse, écloga exegese, êxodo, exorcismo
em	posição interna, movimento para dentro	encéfalo, energia, entusiasmo, embrião
epi	posição superior, movimento para cima	epiderme, epidemia, epitáfio, epíteto, epílogo, epístola
eu	bom	eucaristia, eufemismo, eufonia *em "evangelho" e derivados tem a forma **ev** **figura em muitos nomes de pessoas: Eulália, Eugênio, Eusébio
fagia	ato de comer	antropofagia
farmaco	medicamento	farmacologia, farmácia
filo	amigo	filosofia
fobia	aversão, medo	aerofobia, homofobia
gastro	estômago	gastrologista
gene	origem	genética, genealogia
geo	terra	geografia
grafo	descrição, escrita	grafologia
hêmi	meio	hemisfério, hemiciclo, hemiplégico
hypér	sobre, além de	hipérbole, hipertrofia, hipercrítico
iatria	tratamento	pediatria

▼

Radicais / Prefixos	Sentido	Exemplos
icono	imagem	iconoclasta
idio	próprio	idioma, idiota
katá	movimento de cima para baixo	cataclismo, catacumba, catapulta, cataplasma, catarro, catástrofe
latria	adoração	idolatria
leuco	branco	leucócito
lexico	palavra	lexicografia
macro	grande, longo	macróbio
mancia	adivinhação	quiromancia
mega, **megalo**	grandeza	megalomania
metá	mudança	metáfora, metamorfose, metonímia
micro	pequeno	micróbio
narco	entorpecimento	narcose, narcótico
neo	novo	neologismo
odonto	dente	odontologia
onco	tumor	oncologia
onto	ente	ontologia
orama	visão, espetáculo	panorama
ornito	pássaro	ornitologia
pará	ao lado de; proximidade, oposição	paralelo, paradigma, paradoxo, parasita, paródia, parônimo
perí	em torno de	periferia, perímetro, perífrase, período, peripécia
polis, **pole**	cidade	metrópole
porno	prostituta, obscenidade	pornografia

Radicais / Prefixos	Sentido	Exemplos
pró	posição em frente, movimento para a frente	problema, pródromo, prognóstico, programa, prólogo
syn	simultaneidade, reunião	sincronismo, sinfonia, sílaba, silepse, simpatia, simetria, sintaxe, síntese
tanas, **tanato**	morte	eutanásia
taqui	rápido	taquicardia, taquígrafo
tea	espetáculo	teatro
teo	deus	teologia
topo	lugar	topografia
uro	urina	urologia
xeno	estranho, estrangeiro	xenofobia
xilo	madeira	xilogravura
zimo	fermento	enzima
zoo	animal	zoológico

Ficha de apoio III

Correspondência entre alguns prefixos gregos e latinos

Gregos	Latinos
a, **an** (acéfalo, anônimo)	**des**, **in** (desleal, incapaz)
amphí (anfíbio, anfiteatro)	**ambi** (ambidestro, ambivalente)
antí (antagonista, antídoto)	**contra** (contraveneno, contradizer)
apó (apóstolo, apóstata)	**ab** (abuso, aberrar)
di (dígrafo, ditongo)	**bi-s** (bípede, bisneto)

▼

Gregos	Latinos
diá (diáfano, diálogo)	**trans** (translúcido, transpassar)
ek, **ex** (êxodo, exorcismo)	**ex** (excêntrico, exportar)
en (encéfalo, energia	**in** (ingerir, injetar)
éndon (endocárdio, endocarpo)	**intra** (intravenoso, intramuscular)
epí (epiderme, epílogo)	**super** (superpor, supercílio)
eu (eufonia, evangelho)	**bene** (benefício, benévolo)
hêmi (hemisfério, hemiciclo)	**semi** (semicírculo, semimorto)
hypó (hipótese, hipoglosso)	**sub** (subsolo, submarino)
katá (cataclismo, catástrofe)	**de** (decapitar, demolir)
pará (paradigma, paradoxo)	**ad** (advogado, adjacente)
perí (periferia, perífrase)	**circum** (circumpolar, circunlóquio)
syn (simpatia, sincronia)	**cum** (cúmplice, colega)

Ficha de apoio IV

Sufixos latinos mais usados

ada (forma substantivos a partir de substantivos)	boiada, colherada, facada, laranjada, marmelada, goiabada, pedrada
agem (forma substantivos a partir de substantivos ou adjetivos)	aprendizagem, estiagem, ferragem, folhagem, malandragem, vadiagem
al (forma adjetivos e substantivos a partir de substantivos)	genial, mortal, pessoal, areal, arrozal, bananal, pastoral
ano, **ão** (formam adjetivos a partir de substantivos)	americano, mundano, republicano, romano, serrano, beirão, cristão, vilão

Sufixos latinos mais usados	
ão (ampliado em **alhão**, **arrão**, **eirão**, **zarrão**, figura na formação do aumentativo)	casarão, grandalhão, homenzarrão, toleirão, santarrão
aria, **eria** (formam substantivos a partir de substantivos)	alfaiataria, barbearia, drogaria, feitiçaria, pedraria, pirataria; correria, parceria, sorveteria, galeria
ário, **eiro** (formam substantivos a partir de substantivos)	boticário, campanário, estatuário; barbeiro, cajueiro, galinheiro, nevoeiro, toureiro
ato, **ado** (formam substantivos a partir de substantivos)	baronato, sindicato, tribunato; arcebispado, apostolado, consulado
dade (forma substantivos a partir de adjetivos)	bondade, castidade, curiosidade, crueldade, dignidade, falsidade
dor, **tor**, **sor** (formam substantivos a partir de verbos)	acusador, armador, carregador, comprador; instrutor, tradutor; ascensor, confessor
dura, **tura**, **sura** (formam substantivos a partir de verbos)	assadura, atadura, ditadura, fechadura; assinatura, abertura, cobertura; clausura, mensura
ear (forma verbos a partir de substantivos)	barbear, cartear, golpear, guerrear, pastorear, rodear
ecer (forma verbos a partir de substantivos e adjetivos)	amarelecer, amanhecer, escurecer, favorecer
edo (forma substantivos a partir de substantivos)	arvoredo, lajedo, olivedo, passaredo, rochedo, vinhedo
ejar (forma verbos a partir de substantivos)	cortejar, gotejar, lacrimejar, manejar, velejar, viajar
ense, **ês** (formam adjetivos a partir de substantivos)	ateniense, cearense, paraense, parisiense; cortês, português, montanhês

▼

Sufixos latinos mais usados	
ez, **eza** (formam substantivos a partir de adjetivos)	altivez, estupidez, malvadez, sensatez, surdez; beleza, certeza, moleza, rudeza, tristeza
ficar (forma verbos a partir de substantivos e adjetivos)	petrificar, retificar, dignificar, falsificar, purificar
cie, **ice** (formam substantivos a partir de adjetivos ou substantivos)	calvície, planície; criancice, meninice, tolice, velhice
io (forma substantivos a partir de substantivos)	mulherio, poderio, senhorio
itar, **inhar** (formam verbos a partir de substantivos)	saltitar, cuspinhar, espezinhar
ivo (forma adjetivos a partir de de verbos)	afirmativo, comparativo, fugitivo, pensativo
mento (forma substantivos a partir de verbos)	casamento, conhecimento, esquecimento, fingimento
oso (forma adjetivos a partir de substantivos)	cheiroso, gostoso, montanhoso, orgulhoso, sigiloso
tório, **douro** (formam substantivos a partir de verbos) *__tório__ forma também adjetivos	dormitório, laboratório, oratório, purgatório; ancoradouro, matadouro, bebedouro; divinatório, notório, satisfatório
tude, **dão** (formam substantivos a partir de adjetivos)	altitude, amplitude, latitude, longitude; certidão, escuridão, lassidão, imensidão
udo (forma adjetivos a partir de substantivos)	beiçudo, bicudo, narigudo, cabeçudo, carnudo
ura (forma substantivos a partir de adjetivos)	amargura, brancura, doçura, frescura, loucura, ternura
vel, **bil** (formam adjetivos a partir de verbos)	amável, detestável, discutível, louvável, removível, solúvel; ignóbil, flébil

Ficha de apoio V

Sufixos gregos mais usados

ia	astronomia, filosofia, geometria, energia, eufonia, profecia
ismo	aforismo, cataclismo, comunismo, jornalismo
ista	catequista, comunista, jornalista, modernista, nortista
ita	jesuíta, eremita, israelita, selenita
ite	bronquite, colite, dinamite, rinite
izar	batizar, catequizar, realizar, rivalizar, suavizar *não confundir com os verbos cujo radical termina em **iz** ou **is**: ajuizar, de juiz; enraizar, de raiz; avisar, de aviso; alisar, de liso
ose	esclerose, osteoporose, tuberculose
tério	batistério, monastério, necrotério

CAPÍTULO 3

FONOLOGIA

DIVISÃO SILÁBICA

ACENTUAÇÃO GRÁFICA

FONOLOGIA

Fonologia é a parte da gramática que estuda os sons próprios da língua (fonemas).

FONEMA é o som da letra.	**LETRA** é o símbolo representativo do som.

Divisão dos fonemas

Vogais: são fonemas que constituem um som isoladamente, sem se apoiarem em outros fonemas.
As vogais são as seguintes: **a – ê – é – i – ô – ó – u – ã – ẽ – ĩ – õ – ũ**

Consoantes: são fonemas que só constituem um som nítido quando apoiados em uma vogal.
Observação:
O **h** não possui som, não sendo considerado, portanto, uma consoante: **é uma letra muda**.

Semivogais: sempre que uma vogal se apoiar em outra, será chamada de semivogal. O **i** e o **u** podem ser muitas vezes considerados semivogais. O **e** e o **o**, quando têm som de **i** e **u**, também são considerados semivogais.
Exemplos:

- ca**i**xa – pe**i**xe – co**u**ro – o**u**tro – histór**i**a – sér**i**e – ág**u**a (*i* e *u* – semivogais)
- mág**o**a – Pásc**o**a –réd**e**a – gêm**e**o (*o* [som de *u*] e *e* [som de *i*] – semivogais)

Encontro de grupos de fonemas

ENCONTROS VOCÁLICOS

Ditongo: é o encontro de uma vogal e uma semivogal ou de uma semivogal e uma vogal na mesma sílaba.

Tipos de ditongos	
Ditongo crescente: a semivogal aparece antes da vogal-base. Exemplos: • **u**a – quatro, água • **i**e – cárie, série • **i**o – vários, ágio • **u**e – tênue, agüenta • **u**o – vácuo, árduo • **u**ã – quando, quanto • **o**a – mágoa, Páscoa • **e**o – gêmeo, espontâneo • **i**a – secretária, Márcia • **u**i – sagüi, lingüista • **e**a – fêmea, área	**Ditongo decrescente:** a semivogal aparece depois da vogal-base. Exemplos: • a**i** – papai, aipo • e**i** – leite, peixe • o**i** – boi, pois • ó**i** – herói, jóia • a**u** – cacau, Mauro • e**u** – europeu, Deus • u**i** – ruivo, circuito • i**u** – partiu, dormiu • ã**e** – mamãe, pães • õ**e** – põe, corações • é**u** – chapéu, véu • a**o** – caos, ao • a**e** – Caetano • e**i** – idéia
Ditongo oral: emitido apenas pela boca. Exemplos: • **mau**, **céu**, her**ói**, p**ai**, t**ou**ro, gên**io**	**Ditongo nasal:** o som é distribuído entre a boca e as fossas nasais. Apresenta-se das seguintes maneiras: • com **til** – coraç**ão**, mam**ãe**, exp**õe**, c**ãi**bra • com **em** – por**ém**, jov**em** • com **en** – híf**en**, pól**en** • com **am** – vej**am**, escrever**am** • com **ui** nas palavras "m**ui**" e "m**ui**to"

Tritongo

A vogal (V) fica entre duas semivogais (SV) na mesma sílaba (SV + V + SV).

Exemplos: q**uai**s, averig**üei**, sag**uão**

Os tritongos também podem ser **orais** ou **nasais**.

Tritongo oral:	Tritongo nasal:
uai – q**uai**s, q**uai**squer, ig**uai**s	Com **til**:
uei – averig**üei**, apazig**üei**	**uão** – sag**uão**
uou – averig**uou**, apazig**uou**	**uões** – sag**uões**
	Com **m** final: ming**uam**, deság**uam**, ág**üem**

Hiato

É o encontro de duas vogais pronunciadas em sílabas diferentes.

Exemplos:

- S**aa**ra, c**aa**tinga, **aé**rea, Mac**aé**, p**aí**s, r**ai**z, **ao**nde, **ao**rta, at**aú**de, s**aú**va, t**ea**tro, s**ea**ra, compr**ee**nsão, v**êe**m

ENCONTROS CONSONANTAIS

Encontro consonantal é o agrupamento de consoantes em uma só palavra.

Pode ocorrer na mesma sílaba (encontro consonantal real) ou em sílabas diferentes (encontro consonantal puro e simples).

Exemplos:

- **br** (**br**aço – real), **bm** (su**bm**eter), **cr** (es**cr**avo – real), **fr** (**fr**ango – real), **pl** (**pl**aneta – real), **bd** (su**bd**elegado), **bj** (o**bj**eto), **cl** (**cl**ara – real), **fl** (**fl**anela – real), **gn** (di**gn**o), **pt** (ré**pt**il).

Dígrafos

Encontro de duas letras que equivalem a um só fonema.

Exemplos: ma**ss**a, ca**rr**o, flore**sc**er, mi**lh**o

Relação dos dígrafos da língua portuguesa

ss – massa, pássaro	**sc** – florescer, piscina	**om** – pomba, compra
rr – carro, carroça	**sç** – desçamos, cresço	**um** – rumba, atum
lh – milho, palha	**xc** – exceder, excelente	**an** – panda, Antares
ch – chama, chuva	**xs** – exsudar, exsudativo	**en** – enxoval, bengala
nh – ninho, manhã	**am** – âmbar, ampla	**in** – índio, vingança
qu – porque, quilate	**em** – lembrança, empada	**on** – bondade, ronco
gu – freguês, guitarra	**im** – limpo, ímpio	**un** – untar, ungüento

Noções básicas

DEVEM-SE SEPARAR

Os grupos formados por duas letras iguais (**cc** e **cç**, os dígrafos **rr** e **ss**, e os hiatos **aa**, **ee**, **ii**, **oo** e **uu**):

o**c**-**c**i-pi-tal	fi**c**-**ç**ão	mo**r**-**r**o	a**s**-**s**a**s**-**s**i-no
c**a**-**a**-tin-ga	lê-**e**m	ni-**i**-lis-mo	per-d**ô**-**o**

Os dígrafos **sc**, **sç**, **xc** e **xs**:

pi**s**-**c**i-na	de**s**-**ç**o	e**x**-**c**e-len-te	e**x**-**s**u-dar

Todos os outros hiatos:

r**u**-**í**-na	as-s**o**-**a**-lho	s**a**-**ú**-de	L**u**-**í**s
d**u**-**o**-dé-ci-mo			

NÃO SE DEVEM SEPARAR

Os ditongos e os tritongos:

lei-te	in-dús-tr**ia**	co-mér-c**io**	Pa-ra-g**uai**
q**uais**-quer			

Observação: se houver um **ditongo mais uma vogal**, a vogal ficará **isolada**:

j**ói**-**a**	m**ei**-**o**	c**ui**-**a**

Os dígrafos **lh**, **nh**, **ch**, **qu** e **gu**:

ca-mi-**nh**o	**ch**a-vei-ro	mi-**lh**o	re-**qu**e-ren-te
gui-**lh**o-ti-na			

OUTRAS REGRAS

Se houver uma consoante entre duas vogais, a consoante ficará com a segunda vogal:

a-**b**a　　o-**c**a　　í-**m**ã　　a-**t**o

Se houver duas consoantes entre duas vogais, a primeira consoante ficará com a primeira vogal e a segunda consoante ficará com a segunda vogal, desde que as duas sílabas não formem encontro consonantal real:

a**m**-**n**é-sia　　su**b**-**d**e-se**n**-**v**ol-**v**i-do
le**s**-**t**e　　a**d**-**v**o-ga-do

Se houver mais de duas consoantes entre duas vogais, a primeira vogal ficará com todas as consoantes, menos com a última, desde que não formem encontro consonantal real:

pe**rs**-**p**i-caz　　i**st**-**m**o　　tu**ngs**-**t**ê-nio
tra**ns**-**p**or-te　　fe**lds**-**p**a-to

A consoante inicial não seguida de vogal não pode ficar isolada, permanecendo sempre na mesma sílaba que a segue:

gno-mo　　**p**neu　　**m**ne-mô-ni-co

Se os encontros consonantais **bl**, **br** e **dl** não formarem encontros reais, serão separados:

su**b**-**l**o-car　　a**b**-**r**up-ta-men-te　　a**d**-**l**i-gar

ACENTUAÇÃO GRÁFICA

Noções básicas

CASOS	REGRAS	EXEMPLOS
Proparoxítonas (acento tônico na antepenúltima sílaba)	todas acentuadas	• **fós**foro, **lâm**pada, **bê**bado, **grá**fica

CASOS	REGRAS	EXEMPLOS
Paroxítonas (acento tônico na penúltima sílaba)	terminadas em **l**, **n**, **r**, **x**, **i**, **is**, **u**, **us**, **um**, **uns**, **ã**, **ãs**, **ão**, **ãos**, **am**, **ons**, **ditongos**, **hiatos oo**, seguidos ou não de **s**	• a**má**vel, ca**dá**ver, **gé**rmen, **tó**rax, **jú**ri, **bô**nus, **ál**bum, **ál**buns, **ór**gão, **í**mã, **ór**fãs, **jó**quei, **á**geis, **vá**cuo, **gê**nio, enj**ô**o, perd**ô**o
Oxítonas (acento tônico na última sílaba)	terminadas em **a**, **e**, **o**, **em**, **ens** No caso de verbos seguidos de pronomes oblíquos, o pronome será ignorado para efeito de acentuação.	• ca**já**, vata**pá**, ca**fé**, jaca**ré**, a**vó**, trisa**vô**, tam**bém**, vin**téns** • **Vê**-lo, ampa**rá**-la
Monossílabos tônicos	terminados em **a**, **e**, **o**	• **pá**, **pé**, **pó**
Ditongos	**éi**, **éu**, **ói**	• her**ói**co, pa**péis**, as-sem**bléi**a, cha**péu**
Trema	no **u** átono dos grupos **qu** e **gu** (antes de **e** ou **i**) pronunciados	• e**qüe**stre, cin**qüe**n-ta, lin**güi**ça, pin**güi**m
Letra "u" tônica	Receberá acento agudo antes de **e** e **i** quando for pronunciada.	• averi**gúe**, apazi**gúe**, ar**gúi**
Hiatos	Acentuados o **u** e o **i** independentes ou seguidos de **s**. *Se o hiato for seguido de **nh**, não haverá acento.	• Ita**ú**, Piau**í**, ba**ú**, sa**í**da, ju**í**zes, Lu**í**s, gra**ú**do • ra**inh**a, ba**inh**a, ta**inh**a

CASOS	REGRAS	EXEMPLOS
Verbos "vir", "ver" e outros	Se o verbo tiver acento circunflexo no singular, terá a letra **e** dobrada e o acento permanecerá. Se o verbo não tiver acento circunflexo no singular, terá no plural.	• ele vê – eles v**ê**em • ele lê – eles l**ê**em • ele crê – eles cr**ê**em • ele vem – eles v**ê**m • ele tem – eles t**ê**m • ele mantém – eles mant**ê**m • ele convém – eles conv**ê**m

A Reforma de 1971

CASOS	REGRAS	EXEMPLOS
Homônimos homógrafos (palavras com a mesma grafia e pronúncia diferente)	**Perdem os acentos diferenciais** **Exceções** (acentos permanecem)	• êle (pronome) • ele (som da letra) • fôrça (substantivo) • força (verbo) • fêz (verbo e subst. masc.) • fez (subst. fem.) • pêlo (subst.) – pélo (verbo • por (prep.) – pôr (verbo) • para (prep.) – pára (verbo • pera (prep. arcaica – per+a) – pêra (subst.) • pólo/pólos (subst.) – pôlo/pôlos (subst. – tipo de gavião) • pode (pres. ind.) – pôde (pret. perf.)
Acentos secundários (acento grave – palavras terminadas em -inho e -mente).	**Desaparecem**	• sozinho • somente • cafezinho • rapidamente

CAPÍTULO 4

REGÊNCIA VERBAL E NOMINAL

TERMOS DA ORAÇÃO

REGÊNCIA VERBAL

Regência é a relação de subordinação, ou seja, de dependência, de um termo em relação a outro. É a regência que determina a ligação entre os termos de uma oração.

A regência verbal é a relação de dependência estabelecida entre um **verbo** e **seus complementos**. Essa subordinação dá-se pelo uso de uma preposição: por exemplo, o verbo "assistir", no sentido de "ver, presenciar", é regido pela preposição "a" (quem assiste assiste **a** alguma coisa):

- Ela assistiu **a** apenas uma cena da novela.

Verbos transitivos

Exigem um complemento essencial para terem sentido completo.

VERBOS TRANSITIVOS DIRETOS (VTD)

Não exigem preposição antes do complemento (objeto direto – **OD**). Eventualmente podem admitir preposição acidental (objeto direto preposicionado – **ODP**).	• Queremos dinheiro. VTD **OD** • Comemos o pão. VTD **OD** • Ele puxou da espada. VTD **ODP**

No objeto direto preposicionado, a preposição aparece puramente por razões de sentido. Observemos, por exemplo, os seguintes períodos:

a) Ele comeu o nosso pão e bebeu o nosso vinho.
b) Ele comeu do nosso pão e bebeu do nosso vinho.

Em "a", percebe-se claramente que ele "comeu **todo** o nosso pão e bebeu **todo** o nosso vinho". Em "b" o uso das preposições indica que ele "comeu **parte** do nosso pão e bebeu **parte** do nosso vinho".

VERBOS TRANSITIVOS INDIRETOS (VTI)

Exigem preposição essencial antes do complemento (objeto indireto – **OI**).	• Nós gostamos dos amigos. VTI **OI** • Eles precisam de vocês. VTI **OI**

Não confunda objeto indireto e objeto direto preposicionado.

No caso do objeto indireto, a preposição é essencial; sem ela a frase não faz sentido. Observe "a" e "b":

a) Desistimos **de tudo**.

b) Devemos amar **a Deus**.

Se eu tirar a preposição "de" no primeiro exemplo, terei: "Desistimos tudo", período claramente agramatical; se eu tirar a preposição "a" do segundo exemplo, terei: "Devemos amar Deus", um período claro e correto gramaticalmente. No primeiro caso, "de tudo" é objeto indireto; no segundo, "a Deus" é objeto direto preposicionado.

VERBOS TRANSITIVOS DIRETOS E INDIRETOS (VTDI)

Exigem simultaneamente um objeto direto e um objeto indireto.	• Dissemos a verdade a ela. VTDI **OD** **OI** • Ela deu um presente ao irmão. VTDI **OD** **OI**

Verbos intransitivos

Têm sentido próprio. Não necessitam de nenhum complemento.	• Eu existo. • Chegamos.
Podem vir acompanhados por **advérbios**.	• Chegamos **agora**. (adj. adv. de tempo) • Chegamos **da rua**. (adj. adv. de lugar)

Podem eventualmente vir acompanhados por **predicativos**. (ver **predicativo** na página 101)	• Ela vive **cansada**. (pred. do sujeito) • Ele vive **triste**. (pred. do sujeito)
Podem ainda admitir **objetos diretos internos ou cognatos** – objetos que nascem do próprio sentido do verbo. Por exemplo: viver vida alegre, chorar lágrimas amargas etc.. (ver **objeto direto** na página 102)	• Ela vive **uma vida triste**. (OD Interno) • Sonhou **sonhos eróticos**. (OD Interno)

FIQUE ATENTO!

Não confunda predicativo com adjunto adverbial.

O **predicativo** é representado sempre por um adjetivo ou uma locução adjetiva:

Ela é **maravilhosa**. (adjetivo)

Ele é **bom**. (adjetivo)

Ele é **do bem**. (locução adjetiva)

O **adjunto adverbial** é representado por um advérbio, palavra invariável (ao contrário do adjetivo, que é variável):

Ela vive **em Nova Iorque**. (adjunto adverbial de lugar)

Ela vive **bem**. (adjunto adverbial de modo)

Verbos de ligação (VL)

Ligam um termo (sujeito ou objeto) ao seu complemento (predicativo). Não têm sentido próprio. Exemplos de alguns verbos de ligação: ser, estar, parecer, ficar, tornar-se, andar, virar.	Ela **é** feia. (feia = pred. do sujeito) Ela **ficou** feia. (feia = pred. do sujeito) Ela **continua** feia. (feia = pred. do sujeito) Conheço uma pessoa que **é** inteligente. → Obj. Direto (uma pessoa); → Pred. do OD (inteligente)

FIQUE ATENTO!

1. A regência dos verbos pode variar de acordo com as mudanças de sentido que eles apresentarem.

Exemplos:

- Eu **sou** professor – "sou": verbo de ligação; "professor": predicativo do sujeito.
- "Eu **sou**!" – "sou": verbo intransitivo (eu existo!)
- Ela **anda** doente – "anda": verbo de ligação; "doente": predicativo do sujeito.
- Ela **anda** depressa – "anda": verbo intransitivo; "depressa": adj. adv. de modo (não caminha).
- Os carros **bateram** – "bateram": verbo intransitivo (chocaram-se).
- Ele **bate** no irmão – "bate": transitivo indireto (espanca); "no irmão": obj. ind.
- A empregada **bateu** um bolo – "bateu": transitivo direto (fez); "um bolo": obj. direto.

2. Como em regência não há "verdades absolutas", é necessário sempre analisar o contexto em que o verbo se apresenta. Vejamos, por exemplo, estas duas normas de regência: "verbos transitivos diretos exigem sempre um objeto direto, eles só têm sentido completo se acompanhados do seu objeto; verbos intransitivos têm sentido completo, portanto não precisam de nenhum complemento".

Agora, analisemos os seguintes períodos:

a) Ele **estuda** – verbo intransitivo (não necessita de complemento).

b) Ele **estuda** português – verbo transitivo direto ("português" é objeto direto).

No exemplo "a" é bem clara a intransitividade do verbo; embora se possa imaginar um complemento (ele tem de estudar "alguma coisa"), esse não é essencial à compreensão da frase.

No exemplo "b" o complemento do verbo está explícito. A rigor, poderíamos continuar classificando o verbo como intransitivo, uma vez que – em tese – o complemento não é essencial. Mas no contexto o complemento assume enorme importância. Afinal, o centro da idéia não é simplesmente o ato de estudar, mas o ato de estudar aquela matéria específica.

c) Ela **está** feliz – "estar": verbo de ligação; feliz: predicativo do sujeito.

d) Ela **está** em casa – "estar": verbo intransitivo; "em casa": adjunto adverbial de lugar.

e) Ela **está** mal – "estar": verbo intransitivo; "mal": adjunto adverbial de modo.

No exemplo "c", "estar" é um verbo de ligação e é complementado pelo seu predicativo; nos exemplos "d" e "e", "estar" é um verbo intransitivo, e aí surge uma incoerência em relação à idéia de que "o verbo intransitivo não necessita de complemento". Afinal, se os advérbios forem retirados, as frases perderão totalmente o sentido. Isso mostra que muitas vezes os verbos intransitivos necessitam de um advérbio para terem sentido completo. O advérbio, nesses casos, deixa na realidade de ser um termo acessório e se torna praticamente um termo essencial.

3. Os pronomes **o**, **a**, **os**, **as** são sempre **objeto direto**:

- Eu **a** vi sair (Eu vi ela sair).
- Nós **os** encontramos ontem (Nós encontramos eles ontem).

Os pronomes **lhe** e **lhes** podem ser **objeto indireto** (a ele, a ela, a eles, a elas etc.) ou **adjunto adnominal** (dele, dela, deles, delas etc.):

- Eu **lhe** disse a verdade (Eu disse a verdade **a ele** – OI).
- Comprei-**lhe** o carro (Comprei o carro **dele** – adj. adn.).

Ficha de apoio

Regência de alguns verbos

Sentido	Regência	Exemplos
	ASSISTIR	
ver, presenciar	transitivo indireto	• Eu **assisti** ao filme. • Ele **assistiu** à peça de teatro.
socorrer, ajudar, dar assistência	transitivo direto	• O médico **assiste** o doente. • A secretária **assistia** o diretor da empresa.
caber, competir	transitivo indireto	• Este direito não lhe **assiste**.

Sentido	Regência	Exemplos
morar, residir	intransitivo	• Atualmente eu **assisto** em Salvador.
	ASPIRAR	
inalar, respirar	transitivo direto	• Eu **aspiro** o ar da manhã. • Ela **aspirava** o perfume das flores.
desejar, objetivar	transitivo indireto	• Paulo **aspira** à Diretoria-Geral. • Todos **aspiram** aos mais altos cargos.
	CHAMAR	
pedir a presença	transitivo direto	• **Chamei**-o ao escritório. • **Chamei** os meus amigos.
clamar, invocar	transitivo direto, podendo vir preposicionado	• Apavorado, ele **chamou** seus santos. • Apavorado, ele **chamou** por seus santos.
apelidar, qualificar	transitivo direto ou indireto, com predicativo preposicionado ou não	• **Chamou** a irmã de burra. • **Chamou**-a burra. • **Chamei**-a de burra. • **Chamou**-lhe de burra.
tocar (telefone ou campainha)	intransitivo	• Avon **chama**. • O telefone **chamou** várias vezes.
	IMPLICAR	
enredar(-se), envolver(-se)	transitivo direto e indireto	• Más companhias o **implicaram** num crime. • **Implicou**-se num escândalo.

Sentido	Regência	Exemplos
dar a entender, fazer supor, pressupor, acarretar, ocasionar, originar, importar	transitivo direto ou transitivo indireto	• Seu silêncio **implicava** consentimento. • Seu silêncio **implicava** em consentimento.
	VISAR	
mirar, apontar	transitivo direto	• O arqueiro **visou** o alvo.
dar o visto	transitivo direto	• O escrivão **visou** o documento.
objetivar, pretender	transitivo indireto (preposição "a") (acompanhado por verbo no infinitivo, tende a surgir sem a preposição)	• Todas as religiões **visam** ao bem. • Eles sempre **visaram** a uma situação boa. • Este livro **visa ajudar** a aprender. • Ele **visou mostrar** todos os casos. • Nenhum curso **visa fabricar** escritores.
	PROCEDER	
ter fundamento	intransitivo	• Seus argumentos não **procedem**.
portar-se, conduzir-se	intransitivo sempre com complemento de modo	• Ele **procedeu** mal. • Aquela moça sempre **procedeu** bem.
provir, originar-se, descender	transitivo indireto ou intransitivo com complemento de lugar	• Nós **procedemos** de uma família muito antiga. • O mau cheiro **procedia** do banheiro.
realizar alguma coisa, dar início a algo	transitivo indireto	• O professor **procedeu** à chamada. • O juiz **procedeu** ao inventário.

Sentido	Regência	Exemplos
	NAMORAR	
namorar alguém	transitivo direto	• Paulo **namora** Ana. • Luís **namora** Fernanda.
namorar com alguém	transitivo direto preposicionado Obs.: Alguns puristas condenam – sem razão – esse uso, já consagrado na língua.	• Ele sempre **namorou** com a mesma mulher. • João sempre quis **namorar** com Maria.
namorar	intransitivo	• Eles **namoram**.

REGÊNCIA NOMINAL

É a relação de subordinação, ou seja, de dependência, de um **nome** (substantivo, adjetivo, advérbio) e **seu complemento**. Tal dependência é estabelecida pelo uso de uma preposição: por exemplo, o adjetivo "consciente" é regido pela preposição "de":

- Ele estava consciente **de** suas limitações.

Muitos adjetivos e substantivos exigem complementos regidos por diferentes preposições, por exemplo, o adjetivo "acostumado":

- Ele está acostumado **a** estudar.
- Ele está acostumado **com** o calor.

Ficha de apoio

Regência nominal

Algumas palavras e as preposições que as regem

	Exemplos
acessível a	• O prefeito era **acessível a** todos.
afável com, para	• Era **afável** apenas **com** os poderosos. • Sempre foi muito **afável para** as mulheres.

▼

	Exemplos
aflito com, por	• Estava **aflito com** os problemas. • Ele vive **aflito por** mais poder.
alheio a, de	• Era totalmente **alheio a** tudo. • Vivia desligado de tudo, sempre **alheio de** si mesmo.
aliado a, com	• **Aliou-se aos** adversários e ganhou as eleições. • Estava **aliado com** os antigos inimigos.
amor a, por	• Tinha muito **amor a** tudo. • O **amor** de Romeu **por** Julieta foi maior que a morte.
análogo a	• Este projeto é **análogo ao** meu.
ansioso por, de, para	• Ele sempre foi **ansioso por** dinheiro. • Vivíamos **ansiosos de** boas notícias. • Estava **ansioso para** trabalhar.
antipatia a, por	• Tenho **antipatia a** tudo que é ilegal. • Tinha grande **antipatia por** burocratas.
apego a, por	• Tem **apego a** tudo o que é seu. • Ele demonstra um grande **apego por** seus imóveis.
apto a, para	• Ele está totalmente **apto a** trabalhar. • Não fui considerado **apto para** servir o exército.
atento a, em	• Fique **atento a** tudo o que acontece. • Ele é sempre **atento em** descobrir coisas novas.
aversão a, por	• Sua **aversão às** mulheres o deixou malvisto. • Tinha **aversão por** dinheiro.
avesso a	• É **avesso a** mudanças.
capaz de	• É totalmente **capaz de** tudo.
certeza de	• Tenho **certeza de** que você virá.

	Exemplos
cioso em, de	• Você parece muito **cioso em** atender bem. • Era muito **cioso de** seus deveres.
compaixão de, para com, por	• A **compaixão de** Cristo **para com** a humanidade levou-o à cruz. • Tem grande **compaixão pelos** pobres.
conforme a	• Agiu **conforme a** sua consciência.
contrário a	• É totalmente **contrário a** militares.
constituído de, por, com	• A sociedade é **constituída de** vários membros. • Sua empresa era **constituída** apenas **por** amigos. • O patrimônio da instituição foi **constituído com** uma doação.
contente em, por, de, com	• Estou **contente em** vê-lo. • Fico **contente por** vê-la com saúde. • Estava **contente de** ter conseguido tudo. • Você não parece ter ficado **contente com** o aumento.
cruel com, para, para com	• Você sempre parece **cruel com** os seus inimigos. • Ele foi muito **cruel para** a família. • Era **cruel para com** os inimigos.
curioso de, por, para	• Estou **curioso de** saber o que aconteceu. • Eu vivo **curioso por** saber o que está acontecendo. • Estava **curioso para** ler o livro.
desgostoso com, de	• Fiquei **desgostoso com** o acontecido. • Não fique assim **desgostoso da** vida.
desprezo a, por, de	• Tenho total **desprezo à** corrupção. • Tem **desprezo pelo** ser humano. • Sofre o **desprezo de** algumas pessoas porque mudou de país.

▼

	Exemplos
devoção a, para com, por	• Possui grande **devoção a** Nossa Senhora. • Minha única **devoção** é **para com** Deus. • É notória sua **devoção por** São Francisco.
devoto de, a	• É **devoto de** Nossa Senhora. • Elas eram **devotas a** Santa Filomena.
dúvida acerca de, de, em, sobre	• Minha **dúvida acerca daquela** questão foi resolvida. • Será que ela tem **dúvidas de** você? • Você tem **dúvida** apenas **em** matemática? • Tem **dúvidas sobre** tudo.
empenho de, em, por	• O **empenho da** sua palavra é suficiente. • Farei todo **empenho em** resolver o seu caso. • Seu **empenho por** mim foi satisfatório.
fácil de, para	• É muito **fácil de** lidar. • Este livro não é muito **fácil de** ler. • A caixa não foi nada **fácil para** abrir.
falho de, em	• Seu livro é **falho de** boas informações. • O projeto é **falho em** muitos detalhes.
feliz com, de, em, por	• Ele estava **feliz com** sua companhia. • Ficou realmente **feliz de** ter ganhado o prêmio. • Eu estou muito **feliz com** minha nova casa. • Fico **feliz em** vê-la novamente. • Estamos **felizes pelo** seu sucesso.
fértil de, em	• Sua casa só era **fértil de** sujeira. • O livro era **fértil em** palavrões.
hostil a, para com	• Sempre foi **hostil a** qualquer novidade. • É muito **hostil para com** os pobres.
imune a, de	• Ele parece **imune a** doenças. • Agora meu sítio está **imune de** tudo.
junto a, de	• Pegue o livro que está **junto à** mesa. • Não sentarei mais **junto de** você.

	Exemplos
lento em, para	• Ele é muito **lento em** decidir. • Foi **lento para** correr e perdeu o ônibus.
peculiar a	• Esta característica é **peculiar aos** povos orientais.
próximo a, de	• Você agora está mais **próximo a** mim. • Estou **próximo de** alcançar meus objetivos.
respeito a, com, de, para com, por	• Tenha **respeito a** todos os velhos. • Ele mostra muito **respeito com** as filhas. • Você merece o **respeito de** seus amigos. • Tem **respeito** apenas **para com** os poderosos. • Meu **respeito por** todos é igual.
simpatia a, para com, de, por	• Ela não tem **simpatia a** pessoas mesquinhas. • Sua **simpatia para com** o chefe deu o que falar. • A garota desperta a **simpatia de** vizinhos. • Tenho muita **simpatia por** todos.
situado (sito) em, entre	• O imóvel está **situado em** uma bela região. • O sítio fica **situado entre** duas represas muito bonitas.
vizinho a, de	• Seu apartamento é **vizinho ao** meu. • A sua casa é **vizinha da** minha.

TERMOS DA ORAÇÃO

Termos essenciais

SUJEITO

É o ser a respeito do qual se diz algo.

	Exemplos
Sujeito simples – apenas um núcleo	• **Nós** vivemos muito bem. • **Paulo** chegou ontem.
Sujeito composto – mais de um núcleo	• **Nós e nossos amigos** vivemos bem. • **Os animais e as plantas** devem ser respeitados.
Sujeito indeterminado – não pode ser identificado. Aparece de duas formas:	
a) com verbos **intransitivos** ou **transitivos indiretos**, na **3ª pessoa do singular**, seguidos da partícula **se**.	• **Vive-se** mal em alguns lugares. • **Precisa-se** de bons empregados.
b) com **verbo na 3ª pessoa do plural**, sem referência anterior ao pronome "eles" ou "elas".	• **Dizem** coisas horríveis sobre ela. • **Mataram** um boi para o banquete.
Oração sem sujeito – com os **verbos impessoais** (também é comum, nestes casos, a classificação **sujeito inexistente**):	
Haver, no sentido de existir. **Fazer**, indicando tempo decorrido.	• **Havia** muitas pessoas aqui. • **Faz** anos que não a vejo.

	Exemplos
Verbos ligados a fenômenos meteorológicos.	• **Chove** violentamente.
Verbo **ser** ligado a tempo.	• Hoje **são** 17 de setembro.

Quando usados no sentido conotativo (figurado), os verbos ligados a fenômenos meteorológicos podem ter **sujeito**:

- **Seus olhos** relampejavam de ódio.
- **Nossos estômagos** trovejam de fome.
- Choveram **palavrões** na reunião.

Notas importantes sobre o sujeito

1. O sujeito simples pode aparecer implícito, ou seja, não ser representado por qualquer termo, mas ser identificado pela desinência verbal. Nesse caso, as gramáticas o classificam com vários nomes: **sujeito implícito**, **sujeito oculto**, **sujeito elíptico** ou **sujeito desinencial**.

- Chega**mos** tarde. (nós)
- Precisa**mos** de você. (nós)
- Aparecer**ei** logo mais. (eu)

2. O que determina se o sujeito é simples ou composto é o seu núcleo, que é a parte central do sujeito, formada por um substantivo ou pronome. Se houver apenas **um** núcleo, o sujeito será **simples**; se houver **mais de um**, será **composto**:

- A **casa** é grande. (núcleo: casa = sujeito simples)
- A **casa** de Paulo é grande. (núcleo: casa = sujeito simples)
- A **casa** e o **terreno** ficam próximos à praia. (núcleos: casa e terreno = sujeito composto)
- Os **livros** e os **discos** desapareceram. (núcleos: livros e discos = sujeito composto)

3. O mais comum na nossa língua é a **ordem direta**, com o sujeito no início da oração. Quando a ordem é inversa, ou seja, o sujeito vem após o verbo, costuma haver alguma confusão. Os casos mais comuns de ordem inversa são os seguintes:
a) orações interrogativas iniciadas por **que**, **onde**, **quanto**, **como**, **quando** e **por que**:

- Que desejam **vocês**?
- Onde estão **os presentes**?

▼

b) nas orações da voz passiva pronominal, construídas com **verbos transitivos diretos** mais a partícula **se**:

- Vendem-se **carros**. (Carros são vendidos.)
- Alugam-se **apartamentos**. (Apartamentos são alugados.)
- Consertam-se **motocicletas**. (Motocicletas são consertadas.)

c) nas orações que apresentam forma verbal no imperativo, sempre que para efeito de realce for enunciado o pronome pessoal sujeito:

- Eu não cumprirei estas ordens; cumpre-as **tu**.
- Eu não farei isso; faça-o **você**.

d) com os verbos **dizer**, **perguntar**, **responder** e **todos os outros que introduzem fala**, nos períodos em que surge primeiro o discurso e depois o seu autor.

- Eu jamais renunciarei, disse **o presidente**.
- Farei o que for possível, respondeu **o ministro**.
- Mas o que você diz – exclamou **o juiz** – é um crime.

e) nas orações iniciadas por advérbio:

- Lá vão **os nossos amigos**.
- Aqui está **ele**.

f) com verbos intransitivos como **aparecer**, **chegar**, **correr**, **ocorrer**, **urgir**, **constar**, **cumprir**, **restar** etc.

- Ocorreu **um grave acidente** ontem à noite.
- Consta **um erro grave** neste relatório.
- Acontecem **coisas terríveis**.
- Chegou **o nosso dia**.

PREDICADO

É tudo o que se declara sobre o sujeito.

	Exemplos
Predicado nominal – verbo de ligação + predicativo do sujeito.	• Ele **estava irritado**. • Nós **ficamos aborrecidos**. • Ela **parecia feliz**.
Predicado verbal – verbo transitivo ou intransitivo.	• O chefe **fez** os trabalhos. • O grande dia **chegou**.

	Exemplos
Predicado verbo-nominal – verbo transitivo ou intransitivo e um predicativo (do sujeito ou do objeto).	• O chefe **fez** os trabalhos **irritado** (equivale a dizer que "o chefe fez os trabalhos e estava irritado").

PREDICATIVO

É o termo que dá qualidade a outro (sujeito, objeto direto e, raramente, objeto indireto).

Exemplos:
- Paulo é **estudioso**. (pred. do sujeito)
- Nós a achamos **inteligente**. (pred. do OD)
- Eles lhe chamaram **de imbecil**. (pred. do OI)

FIQUE ATENTO!

Algumas incongruências sobre sujeito e predicado chamam a atenção:

a) Nove entre dez gramáticas aceitam sem pestanejar o conceito de que "o sujeito é um dos termos essenciais da oração". No entanto, todas as gramáticas reconhecem a existência da "oração sem sujeito"! Se existe a oração sem sujeito, obviamente o sujeito não é – pelo menos nesse caso – um "termo essencial".

b) Ainda nove entre dez gramáticas pregam que "predicado é tudo o que se diz sobre o sujeito". Voltamos então ao caso exposto em "a". Se existe a oração sem sujeito, como afirmar que o seu predicado "diz algo sobre o sujeito"?

Nota:

O objetivo deste livro não é promover um questionamento acerca de determinadas incoerências gramaticais, mas sim ajudar o leitor a conhecer melhor as normas da língua culta e aplicá-las no seu dia-a-dia, bem como em concursos públicos e vestibulares.

Aos leitores que tiverem interesse em um questionamento maior sobre a nossa língua, recomendo a leitura do excelente *Português ou brasileiro?*, do professor Marcos Bagno (ver bibliografia).

Termos integrantes

OBJETO DIRETO

Completa o sentido de um verbo transitivo direto.

- Nós compramos **a casa**.
- Todos queriam **o dinheiro**.

	Exemplos
Objeto direto preposicionado – com preposição não essencial, normalmente por questões de sentido.	• Não coma **desse pão**. • O Mosqueteiro puxou **da espada**. • Ele sacou **da arma**.
Objeto direto interno ou cognato – surge com um verbo intransitivo do qual tira o seu sentido (o objeto é sempre do mesmo campo semântico ou lingüístico do verbo).	• Ela chorou **lágrimas amargas**. • Viveu **uma vida feliz**. • Morreu **uma morte trágica**.
Objeto direto pleonástico – repetição do objeto direto, sempre em forma de pronome.	• Ele, ninguém **o** viu chegar. • A morte, eu não **a** temo.

OBJETO INDIRETO

Complementa o sentido de um verbo transitivo indireto.

- Eu preciso **de você**.
- Todos gostam **de carinho**.

O objeto indireto também pode ser pleonástico.

- Aos amigos, não **lhes** falta nada.
- A ela, dou-**lhe** apenas o desprezo.

COMPLEMENTO NOMINAL

É o termo preposicionado que complementa um substantivo, adjetivo ou advérbio.

- Tinha medo **da vida**.
- Estavam certos **da vitória**.
- Agiu contrariamente **a nossos desejos**.

AGENTE DA PASSIVA

É termo que pratica a ação na voz passiva. Equivale ao sujeito na voz ativa e vem introduzido pelas preposições **por** (**pelo**, **pela**) ou **de**.

- O crime foi cometido **pelo bandido** (o bandido cometeu o crime).
- A licitação foi vencida **pela nossa empresa** (a nossa empresa venceu a licitação).

Termos acessórios

ADJUNTO ADNOMINAL

É o termo que qualifica, determina ou caracteriza um substantivo.

Exerce sempre uma função adjetiva e pode ser representado por um adjetivo, uma locução adjetiva, um artigo, um numeral adjetivo, um pronome adjetivo ou um pronome oblíquo.

- Meninos **estudiosos**. (adjetivo)
- Meninos **da escola**. (locução adjetiva)
- **O** menino chegou. (**o**: artigo)
- **Dois** meninos chegaram. (**dois**: numeral adjetivo)
- **Aqueles** meninos levaram **minha** bola. (**aqueles** e **minha**: pronomes adjetivos)
- Comprei-**lhe** o carro. (**lhe**: dele, pronome oblíquo)

FIQUE ATENTO!

É muito comum a confusão entre adjunto adnominal e complemento nominal quando o adjunto vem introduzido por preposição. Para não cometer erros, observe o seguinte:

Termo ligado a adjetivo ou advérbio é complemento nominal:

- Era favorável **ao desquite**. (favorável: adjetivo)
- Reagiu agradavelmente **ao convite**. (agradavelmente: advérbio)

Termo ligado a substantivo:

a) Quando o termo tiver sentido **ativo**, é adjunto adnominal:

- A resposta **do aluno** foi satisfatória (o aluno respondeu satisfatoriamente).
- O comentário **do professor** foi rápido (o professor comentou rapidamente).

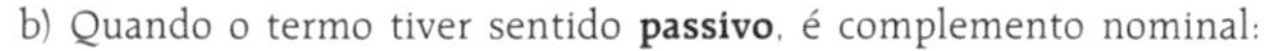

b) Quando o termo tiver sentido **passivo**, é complemento nominal:

- A resposta **ao aluno** foi satisfatória (responderam ao aluno satisfatoriamente).
- A venda **da casa** foi rápida (venderam a casa rapidamente).

ADJUNTO ADVERBIAL

É o termo – preposicionado ou não – que se liga a um verbo, modificando-o.

	Exemplos
Os adjuntos adverbiais expressam infinitas circunstâncias; vejamos algumas:	
lugar:	• Moro **em Salvador**.
modo:	• Ele come **bem**.
causa:	• O pobre morria **de fome**.
tempo:	• Cheguei **tarde**.
intensidade:	• Chove **muito**.

finalidade:	• Estudamos **para a prova**.
instrumento:	• Comeu **com garfo e faca**.
afirmação:	• **Sim**, ele sabe tudo.
dúvida:	• **Talvez** eu vá à festa.
negação:	• **Não** concordo com você.

APOSTO

É o termo que explica, esclarece ou amplia o sentido de outro.

	Exemplos
Pode aparecer dos seguintes modos:	
entre vírgulas (ou travessão duplo):	• Luís, **nosso diretor**, chegou ontem.
após dois pontos:	• Desejo-lhe uma coisa: **felicidade**.
diretamente ligado ao termo, sem pontuação (aposto de especificação):	• A cidade **de São Paulo**, a Rua **Chile**.

VOCATIVO

É o termo usado para chamar ou interpelar alguém.

	Exemplos
Como não pertence à estrutura da oração, vem sempre isolado por vírgula.	• "**Deus**, **ó Deus**, onde estás que não respondes?" (Castro Alves) • **Cara Lúcia**, espero que tudo esteja bem... • **Oh**, **senhores**!, como se atrevem?!

CAPÍTULO 5

FUNÇÃO E COLOCAÇÃO DOS PRONOMES OBLÍQUOS

OS PRONOMES OBLÍQUOS

Funções sintáticas

PRONOMES	FUNÇÕES	EXEMPLOS
ME	**objeto direto** (eu) **objeto indireto** (a mim)	• Você **me** viu aqui? (Você viu eu aqui?**– OD). • Não **me** desobedeça (Não desobedeça a mim – OI).
TE	**objeto direto** (tu) **objeto indireto** (a ti)	• Ela aparentemente **te** odeia (Ela odeia tu** – OD). • "Eu **te** darei o céu, meu bem..." (Eu darei o céu a ti – OI).
SE	**objeto direto** (ele, ela etc.) **objeto indireto** (a si)	• Ela **se** machucou (machucou ela mesma – OD). • Ele **se** deu o direito de falar (deu a si mesmo... – OI).
O, A, OS, AS	**sempre objeto direto**	• Eu **a** vi chegar. • Nós **os** estimamos muito.
LHE, LHES	**objeto indireto** (a ele, a ela, a você, a vocês etc.) **adjunto adnominal** (dele, dela, para ele, para ela etc.)	• Eu **lhe** disse tudo (disse tudo a ele – OI). • Nós **lhe** demos um presente (demos um presente a ele – OI). • Comprei-**lhe** o carro (o carro dele – adj. adn.). • Tomaram-**lhe** a casa (a casa dele – adj. adn.).

PRONOMES	FUNÇÕES	EXEMPLOS
NOS	**objeto direto** (nós) **objeto indireto** (a nós)	• Obrigaram-**nos** a recuar (obrigaram nós a recuar**). • Você deve **nos** dar o solicitado (dar o solicitado a nós – OI).
VOS	**objeto direto** (vós) **objeto indireto** (a vós)	Eu **vos** idolatro (eu idolatro vós** – OD). Eu **vos** trago a paz (eu trago a paz a vós – OI).

** **Formas agramaticais**

Colocação pronominal

COLOCAÇÃO	REGRAS	EXEMPLOS
Próclise (pronome antes do verbo)	No Brasil, a próclise constitui a grande tendência. Pode-se dizer que 99% dos casos de colocação pronominal, no português do Brasil, são de próclise.	• Não **me** faça de idiota. • Nunca **me** diga tal coisa. • Quero que **se** danem todos. • Ora, vá **se** catar! • Hoje **me** entregaram tudo. • Eu sempre **lhes** dei atenção.
	Casos de próclise obrigatória: – nas orações negativas (não, nem, nunca, nenhum, nada, jamais etc.), desde que não haja pausa entre o verbo e as palavras de negação.	• Não **me** recuse o favor. • Ninguém **nos** convencerá. • Nunca **se** viu coisa tão feia. • Nada **me** fará mudar de idéia.

COLOCAÇÃO	REGRAS	EXEMPLOS
Próclise (pronome antes do verbo)	– nas orações exclamativas e optativas	• Quanto barulho **se** fez por nada! • Deus **te** abençoe, filho!
	– nas orações iniciadas por pronomes ou advérbios interrogativos	• Quem **o** obrigou a sair? • Por que **te** magoas tanto? • Como **se** faz isso?
	– nas orações subordinadas	• Quando **a** vejo sorrir, fico feliz. • Espero que **me** recebas hoje.
	– com advérbios e pronomes indefinidos	• Aqui **se** aprende a mandar. • Bem **me** disseram tudo.
Ênclise (pronome após o verbo)	Usada para evitar que se inicie um período com o pronome oblíquo, o que não é aceito gramaticalmente.	• Passe-**me** a farofa. • Dê-**me** isso. • Sabendo-**se** vencedor, trouxe-**nos** o prêmio.
	Opcional com o sujeito da frase e com os infinitivos pessoais (pode-se usar ênclise ou próclise).	• Eu **me** arrependo ou Eu arrependo-**me**. • Fez tudo para **lhe** obedecer ou Fez tudo para obedecer-**lhe**.

FIQUE ATENTO!

Com as formas do **particípio** e do **futuro (do presente ou do pretérito)** a ênclise é inviável:

Formas inviáveis: Tinha falado-lhe.
Tenho contado-lhe.
Falarei-lhe.
Contarei-lhe.

Possibilidades: Tinha-lhe falado ou Tinha lhe falado.
Tenho-lhe contado ou Tenho lhe contado.
Eu lhe falarei ou Falar-lhe-ei.
Eu lhe contaria ou Contar-lhe-ia.

Mesóclise (pronome no meio do verbo)	Verbo no futuro do presente ou no futuro do pretérito.	• Mandar-**lhe**-ei um brinde. • Ver-**nos**-emos amanhã.

CONSIDERAÇÕES SOBRE COLOCAÇÃO PRONOMINAL

Verbos terminados em –**m**: sofrem o processo de nasalização, ou seja, por questões fonéticas, o objeto direto (**o**, **a**, **os**, **as**) ligado a eles por ênclise recebe o acréscimo da consoante **n**.	• Viram ela sair – Viram-**na** sair. • Encontraram ele ontem – Encontraram-**no** ontem. • Conheceram ela pelas costas – Conheceram-**na** pelas costas.
Verbos terminados em **r**, **s** e **z** – quando ligados em ênclise aos pronomes **o**, **a**, **os**, **as**, a consoante final desaparecerá e surgirá a consoante **l** ao lado do pronome; verbos terminados em **s** seguidos do pronome **nos**: o **s** desaparecerá.	• Vou comprar o carro – Vou comprá-**lo**. • Vamos fazer isso – Vamos fazê-**lo**. • Fiz aquilo – Fi-**lo**. • Subscrevemo-**las**. • Subscrevemo-**nos**. • Firmamo-**nos**.

Ficha de apoio

Colocação pronominal

A colocação dos pronomes nas locuções verbais

Caso I – Infinitivo

• Ela **me** deve ajudar.	Possível, mas não usual.
• Ela deve-**me** ajudar.	Português lusitano.
• Ela deve **me** ajudar.	Preferencial no Brasil.
• Ela deve ajudar-**me**.	Possível, mas não usual.

Os casos acima são viáveis com todos os pronomes, exceto **o**, **a**, **os**, **as**. Com esses pronomes, a colocação ficaria assim:

- Ela **o** deve ajudar (possível, mas não muito usual no Brasil).
- Ela deve-**o** ajudar (inviável).
- Ela deve **o** ajudar (inviável).
- Ela deve ajudá-**lo** (mais comum no português do Brasil).

Caso II – Particípio

• Ela **me** tem ajudado.	Possível, mas não usual.
• Ela tem-**me** ajudado.	Português lusitano.
• Ela tem **me** ajudado.	Preferencial no Brasil.
• Ela tem ajudado-**me**.	Inviável. Agramatical.

Com os pronomes **o**, **a**, **os**, **as**, as possibilidades seriam as seguintes:

- Ela **o** tem ajudado (mais comum no português do Brasil).
- Ela tem-**no** ajudado (português lusitano).
- Ela tem **o** ajudado (inviável).
- Ela tem ajudado-**o** (inviável. Agramatical).

Caso III – Gerúndio

• Ela **me** esteve ajudando.	Possível, mas não usual.
• Ela esteve-**me** ajudando.	Português lusitano.
• Ela esteve **me** ajudando.	Preferencial no Brasil.
• Ela esteve ajudando-**me**.	Pouco usada tanto no Brasil quanto em Portugal. Apesar de não ser um erro, é desaconselhável.

Colocação pronominal
Com os pronomes **o**, **a**, **os**, **as**, as possibilidades seriam as seguintes: • Ela **a** esteve ajudando (possível, mas não usual no Brasil). • Ela esteve-**a** ajudando (inviável. Agramatical). • Ela esteve **a** ajudando (inviável. Agramatical). • Ela esteve ajudando-**a** (mais comum no português do Brasil).
Com elementos ditos "atrativos" (advérbios, palavras de negação, pronomes relativos etc.) vale a regra da próclise, mas não se deve deixar de observar o bom senso e o uso no Brasil. Sendo assim, os três casos a seguir são possíveis, mas o quarto é inviável: • Ela não **me** pode ajudar. • Ela não pode **me** ajudar. • Ela não pode ajudar-**me**. • Ela não pode-**me** ajudar.

CAPÍTULO 6

A CRASE

Noções básicas

Fusão do "A" preposição ao "A" artigo (A + A = À)
(Também possível fusão da preposição "a" à primeira letra do pronome demonstrativo – àquele, àquela, àquilo, àquelas, àqueles etc.).
Exemplos: Ele se referiu **à** irmã. (preposição + artigo)
Refiro-me **àquela** que saiu. (preposição + pronome demonstrativo)

A crase é marca exclusiva de feminino.
Palavras masculinas ou neutras não receberão crase.
Os pronomes demonstrativos aquela, aquele e seus plurais admitem crase quando houver a fusão da preposição com o "a" inicial.
Exemplos:
- Dirigimo-nos **à sala**. (feminino)
- Dirigimo-nos **a Vossa Excelência**. (neutro)
- Conseguimos chegar **a tempo**. (masculino)
- Em relação **àquela** proposta, informamos que...
- Não me refiro **àquele** homem que chegou, mas **àquela** pessoa que saiu mais cedo.

(Os pronomes **aquele**, **aqueles** e **aquilo** são os únicos pronomes masculinos a admitir crase.)

Pronomes femininos que não admitem artigo também não admitem crase (**ela**, **essa**, **esta** etc.).	• Dirijo-me **a essa** empresa... • Com referência **a esta** carta... • Diga tudo **a ela**.
Não há crase após preposições (**de**, **com**, **para**, **em**, **entre**, **sob**, **sobre** etc.).	• Pegue o livro que está **sobre a** mesa. • Alguns animais vivem **sob a** terra.

Para haver crase, é necessário que haja a preposição **a**; logo, **verbos não regidos por tal preposição não admitirão crase**.	• Ele **obedece à** mãe. (VTI – obedecer a...) • Ele **ofendeu a** mãe. (VTD – ofender alguém...) • **Refiro-me à** festa de ontem. (VTI – referir-se a...) • **Detestei a** festa de ontem. (VTD – detestar alguma coisa ou alguém...)

CRASES OPCIONAIS

Pronomes possessivos femininos no singular (no plural, a crase será obrigatória se o artigo for utilizado).	• Vá **à** (a) minha sala para conversarmos. • Devo tudo **à** (a) minha melhor amiga. • Devo tudo **a minhas** amizades. (apenas preposição) • Devo tudo **às minhas** amizades. (preposição + artigo)
Nomes de mulher – o artigo pode ser usado (como ocorre no Sul do país), ou não (como acontece no Nordeste).	• Eu contei tudo **à** (a) Lúcia. • Disse toda a verdade **à** (a) Maria. • Contei a história **à** (a) Ana.

FIQUE ATENTO!

Observação: alguns gramáticos dão a crase como opcional diante da palavra de inclusão **até**. O caso não é exatamente de ser uma crase opcional, mas de ser uma crase usada, ou não, em razão da lógica da língua, do sentido da frase:

Romeu e Julieta amaram **até à** morte (locução adverbial – até o momento de morrer).

Os poetas românticos amaram **até a** morte (inclusive a morte).

A CRASE E OS NOMES DE LUGARES

Se o nome do lugar pede artigo, pedirá a crase.	• Vou **à** França no próximo ano (A França é maravilhosa). • Retornarei logo **à** Bahia (A Bahia é linda). • O Presidente foi **à** Colômbia (A Colômbia é um belo país).
Se o nome do lugar não pede artigo, também não admite a crase.	• Ele retornou **a** Itabuna (Itabuna é a terra de Jorge Amado). • Quem tem boca vai **a** Roma (Roma é a "cidade eterna"). • Nós sempre vamos **a** Paris no inverno (Paris é linda no inverno).
Quando o nome de lugar vier acompanhado de complemento específico, receberá a crase, mesmo que não a recebesse normalmente. (Quando se acrescenta um complemento, dá-se uma definição ao nome, ou seja, aparece um artigo definido.)	• Ele voltou **à** Itabuna de Jorge Amado. • Um dia voltarei **à** Roma dos Césares. • Você já foi **à** Ipanema de Tom Jobim?

A CRASE E O SENTIDO DAS FRASES

O uso da crase está muito ligado ao sentido das frases; se a crase for usada, a frase terá um determinado sentido; se não for, o sentido será diferente.

A presença da crase transforma **substantivos** em **locuções (adverbiais**, **prepositivas**, **conjuntivas)** e, com isso, altera também o sentido das expressões transformadas.

Quando eu cheguei, **a noite** começava a cair. (**a noite**: substantivo) Há roupas de várias cores: você prefere **as claras** ou **as escuras**? (**as claras/as escuras** – substantivos)	Então está combinado: nós nos veremos **à noite**. (**à noite**: locução adverbial) Eu faço tudo **às claras**, mas há pessoas que só agem **às escuras.** (**às claras/às escuras**: locuções adverbiais)
A espera foi demorada e irritante. (**a espera**: substantivo) **A procura** durou toda a noite. (**a procura**: substantivo)	Todos vivem **à espera de** uma oportunidade. (**à espera de**: locução prepositiva) Toda a polícia está **à procura dos** criminosos. (**à procura de**: locução prepositiva)
Só o cozinheiro sabe **a proporção** de sal que deve usar. (**a proporção**: substantivo) **A medida** que mede o rico não é **a medida** que mede o pobre. (**a medida**: substantivo)	**À proporção que** o tempo passa, nós envelhecemos. (**à proporção que**: locução conjuntiva) **À medida que** come, engorda. (**à medida que**: locução conjuntiva)

NÃO SE USA A CRASE

Entre expressões repetidas.	• Ele lhe disse tudo cara **a** cara. • Finalmente nos vemos face **a** face.
Quando o **a** estiver no singular e o termo seguinte, no plural.	• Enviou currículos **a** várias empresas. • Não dou ouvidos **a** bobagens.
Quando há intenção de indeterminar o termo seguinte ao **a**.	• Dirigirás a palestra **a** homem ou **a** mulher? • Eu o vi aparecer **a** distância. • Jamais assisti **a** peça tão ruim.

(Mas, se houver a clara determinação do termo, a crase aparecerá.)	• Ele se dedica inteiramente **à** mulher (a mulher dele). • Eu o vi surgir **à** distância de 100 metros. • Você vai assistir **à** peça novamente?

OUTROS CASOS

Usa-se a crase mesmo se o termo feminino vier apenas subentendido.	• Não o achando na sua casa, vá **à** da irmã que o achará (à casa da...) • A festa estava tão chata que eu saí **à francesa** (à moda francesa). • Comprou móveis à **Luís XV** (à moda Luís XV).
Usa-se a crase diante da palavra **casa** apenas quando ela estiver determinada ou qualificada.	• Iremos amanhã **à casa dos amigos**. • Ele sempre se refere **à casa nova**. • Vou **a casa** para almoçar (registro basicamente lusitano; o brasileiro usa "vou em casa").
Não se usa a crase diante da palavra **terra** quando ela tiver o sentido de oposição a **bordo**. Em outros sentidos ela será usada normalmente.	• Irei **à terra natal**. • O camponês dedica a vida **à terra**. • Os marujos foram **a terra** buscar mantimentos.

CAPÍTULO 7

DIVISÃO DO PERÍODO

CLASSIFICAÇÃO DAS ORAÇÕES

DIVISÃO DO PERÍODO

Frase

É todo enunciado suficiente por si mesmo para estabelecer comunicação.
Uma frase pode ser formada por uma só palavra, desde que ela faça sentido em determinado contexto.
Uma frase não tem essencialmente que possuir verbo.

- Socorro!
- Que calor!
- Chove.
- Que horas são?
- Viva São João!

Oração

A oração encerra uma frase ou várias frases, completando um pensamento.
Uma oração é composta de sujeito e predicado (embora o sujeito eventualmente possa não existir).
A oração tem obrigatoriamente que possuir um verbo.

- Chove. (uma oração – uma frase)
- Quero / que você volte. (duas orações, uma só frase)
- "O amor tem feito coisas / que até mesmo Deus duvida." (duas orações, uma frase)
- "Vim. Vi. Venci." (três orações, três frases)

Período

É o nome que se dá ao conjunto de várias orações que formam uma única frase.

- Temos a mais absoluta certeza / de que ele virá ainda hoje.
- Embora jogando bem, / perdemos o jogo.

O período pode ser simples, com uma só oração, ou composto, com várias orações.

- Ontem choveu muito. (período simples)
- Ontem choveu / e nos molhamos. (período composto)

TIPOS DE PERÍODO

Período simples

É formado por uma única oração.

- Chegamos.
- Chegamos da rua muito cansados.
- A vida é feita de muitas coisas importantes.

Período composto

É formado por várias orações. Há três tipos de períodos compostos:
Período composto por subordinação: uma oração (subordinada) depende sintática e semanticamente de outra (principal).

- Sabemos que tudo vai bem.
- A vida que ele levava era muito difícil.
- Temos certeza de que tudo correrá bem.

Período composto por coordenação: as orações estão juntas no mesmo período, mas mantêm independência sintática e semântica, ou seja, cada oração tem o seu sentido próprio, sem vínculo de subordinação.

- Ele chegou cansado e foi dormir.
- Estude muito, pois só assim será aprovado.
- Fizemos o possível, mas o projeto não foi adiante.

Período composto por coordenação e subordinação (período misto): aparecem orações coordenadas e subordinadas.

- Examinei o carro e verifiquei que os seus freios estavam ruins.

Examinei o carro	e verifiquei	que os seus freios estavam ruins.
oração principal	oração coordenada	oração subordinada

- Sabemos todos quem são os culpados e onde estão localizados.

Sabemos todos	quem são os culpados	e onde estão localizados.
oração principal	oração subordinada	oração coordenada

CLASSIFICAÇÃO DAS ORAÇÕES

Orações coordenadas

Uma não exerce função sintática em relação a outra. São independentes sintaticamente, embora ligadas pelo sentido. Podem ser: orações coordenadas sindéticas: introduzidas por conjunções; orações coordenadas assindéticas: sem conjunções.

ORAÇÕES COORDENADAS SINDÉTICAS

Aditivas	**soma**, **adição** Principais conjunções: e, nem, mas também, mas ainda	• Ele estuda **e trabalha**. • Ele não estuda **nem trabalha**. • Ele não só estuda, **mas também trabalha**.
Adversativas	**adversidade**, **oposição**, **contraste** Principais conjunções: mas, porém, contudo, todavia, no entanto, entretanto	• Era um bom aluno, **mas foi reprovado**. • Era um bom aluno, **no entanto foi reprovado**. • Brigou muito, **porém apanhou**.
Alternativas	**alternância**, **escolha** Um fato exclui o outro. Principais conjunções: ou, ou...ou, ora...ora, quer...quer, já...já, seja...seja	• Vá logo, **ou você se atrasará**. • **Ou Paulo será eleito ou João será o indicado**. • **Ora ela acariciava os filhos, ora os espancava ferozmente**.

Conclusivas	**conclusão** Principais conjunções: logo, portanto, então, pois (posposto ao verbo)	• Não chegou na hora, **logo teve o ponto cortado**. • Não chegou na hora, **portanto teve o ponto cortado**. • Ele é seu amigo: **ouça, pois, os conselhos**.
Explicativas	**explicação, justificação, confirmação** Principais conjunções: pois (anteposto ao verbo), porque, que (com o sentido de porque)	• Venha depressa, **pois precisamos de você**. • Estude, **que com certeza aprenderá**. • Estude, **pois aprenderá**.

Orações subordinadas

Para entender a classificação das orações subordinadas, é essencial compreender a regência verbal. Se um substantivo, por exemplo, funciona como objeto direto de um verbo transitivo, a oração que complementar esse verbo terá a mesma função.

- Observei a beleza da paisagem.
  VTD OD
- Observei que a paisagem era bela.
  VTD oração subordinada substantiva objetiva direta
- Cheguei no começo da reunião.
  adjunto adverbial de tempo
- Cheguei quando a reunião começava.
  oração subordinada adverbial temporal
- Conheci o menino estudioso.
  adjetivo com função de adjunto adnominal
- Conheci o menino que estudava.
  oração subordinada adjetiva

▼

A divisão das orações será sempre feita antes dos termos que introduzem as subordinadas (conjunção, pronome relativo ou pronome ou advérbio interrogativos).
Havendo preposição, a divisão será feita antes dela: **Eu disse / que sairia logo – Necessitamos / de que nos ajudem.**

ORAÇÕES SUBORDINADAS SUBSTANTIVAS

Exercem as mesmas funções sintáticas do substantivo ou pronome: sujeito, objeto direto, objeto indireto, complemento nominal, aposto e predicativo.

Subjetivas **sujeito da oração principal**	Não há sujeito explícito na oração principal (o sujeito da oração principal é a subordinada). Verbos sempre na 3ª pessoa do singular	• É provável **que ele venha**. • Convém **que faças tudo**. • Conta-se **que ele mentiu**. • Parece **que tudo mudou**. • Julgar-nos-á **quem nos criou**.

Formas de apresentação das orações subjetivas:

a) com os chamados **verbos especiais** (verbos que normalmente têm o sujeito posposto a eles): **urge**, **consta**, **cumpre**, **importa**, **parece**, **acontece**, **ocorre**, **sucede**, **convém**, **basta**, **dói** etc.:

- Urge **que todos saiam**.
- "Acontece **que eu já não sei mais amar**..."
- Ocorre **que tudo foi um sonho**.
- Dói no coração **que sejas tão cruel**.

b) com o pronome **quem** equivalendo ao sujeito.

- Julgar-me-á **quem me criou**.
- Acreditará em mim **quem for meu amigo**.

c) com **verbo transitivo direto na 3ª pessoa do singular seguido de pronome "se"**:

- Comenta-se **que ela mudou**.
- Conta-se **que haverá novidades**.

d) com **verbo "ser" seguido de predicativo** (na oração principal):

- É importante **que todos venham**.
- Parece necessário **que haja consenso**.

Objetivas diretas **objeto direto da oração principal**	Sempre após verbo transitivo direto	• Sabemos **que algo aconteceu**. • Não sei **se elas virão**. • Ignoro **quem são os vencedores**. • Desejo **que sejas feliz**.
Objetivas indiretas **objeto indireto da oração principal**	Sempre após verbo transitivo indireto Sempre preposicionadas	• Aconselha-o **a que trabalhe mais**. • Gostaria **de que me respondessem**.
Predicativas **predicativo da oração principal**	Após verbo de ligação (sujeito + verbo de ligação + oração predicativa)	• Meu sonho era **que aquilo ocorresse**. • Minha esperança é **que sejas feliz**.
Completivas nominais **complemento nominal da oração principal**	Após um nome (substantivo ou adjetivo) Verbo + nome + preposição Sempre preposicionadas	• Sou favorável **a que resolvam logo o caso**. • Tenho medo **de que desistam**.
Apositivas **aposto da oração principal**	Normalmente, após dois pontos	• Desejo uma coisa: **que sejas feliz**. • Espero apenas o seguinte: **que não insistam mais no assunto**. • Confesso uma coisa: **eu sabia de tudo**.

ORAÇÕES SUBORDINADAS ADJETIVAS

Exercem a função de adjunto adnominal da oração principal.

Restritivas	Restringem a significação do nome a que se referem.	• O homem **que fuma** vive menos. • O sujeito **que trabalha** vence.
Explicativas	Dão uma explicação acerca do termo a que se referem. Normalmente entre vírgulas	• O sol, **que brilhava inclemente**, queimou todos os banhistas. • O rei, **que estava dormindo**, acordou furioso.

As orações subordinadas adjetivas podem vir precedidas por preposição. Nesse caso, a divisão será feita antes da preposição:

- Aquela é a pessoa / **à qual confiei minha vida**.
  subordinada adjetiva restritiva
- Encontrei o livro / **do qual precisava tanto**.
  subordinada adjetiva restritiva

Para descobrir qual a função sintática do pronome **que** nas adjetivas, desloque o termo anterior a ele para o lugar do pronome. A função do termo anterior dentro da oração adjetiva será a mesma do **que**:

- Aquele é o rapaz / **que precisa do emprego**.
  (o rapaz [que] precisa do emprego – o rapaz: sujeito; que: sujeito)
- O Rei, **que estava nu**, não sabia da sua nudez.
  (O Rei [que] estava nu – o Rei: sujeito; que: sujeito)
- Comprei o carro **que eu queria**.
  (o carro [que] eu queria – o carro: objeto direto; que: objeto direto)

Quando o pronome **que** vier precedido do demonstrativo **o**, a divisão da oração será feita entre o pronome demonstrativo e o pronome **que**:

- Você deve fazer apenas o / **que a sua consciência ditar**.
- Nós com certeza somos os / **que contam nesta história**.
- Ela é a / **que sempre fala a verdade**.

ORAÇÕES SUBORDINADAS ADVERBIAIS

Funcionam como um advérbio em relação à oração principal.

Causais	**causa, motivo** Principais conjunções causais: porque, visto que, já que, uma vez que, como (igual a porque)	• Não viajamos **porque choveu**. • **Já que choveu**, não viajamos. • **Como era janeiro**, todos estavam de férias. • Ele não foi admitido **visto que não passou nas provas**.
Comparativas	**comparação** Principais conjunções comparativas: como, que (precedido de "mais" ou de "menos"), tanto/quanto Normalmente o verbo da oração comparativa fica oculto.	• Comeu **como um porco** (come). • Falava mais **que um papagaio** (fala). • Ela é menos inteligente **que o irmão** (é). • Bebeu **como um gambá** (bebe). • Paulo é mais rico **que Luís** (é).
Consecutivas	**conseqüência (resultado de uma ação qualquer que aparece na principal)** Principais conjunções consecutivas: tal (na principal)/que (na subordinada),	• Era tão feia, **que assustava**. • Levou tal susto, **que desmaiou**. • Choveu tanto, **que as casas desabaram**. • Foi tamanha a surpresa, **que ele quase morreu**. • Chovia, **que não se via o céu**.

Consecutivas	**tanto** (na principal)/**que** (na subordinada), **tamanho** (na principal)/**que** (na subordinada), **tão** (na principal)/**que** (na subordinada) Os termos intensivos (tão, tanto, tal, tamanho) podem vir ocultos.	
Concessivas	**concessão (permissão de algo apesar de algum impedimento)** Principais conjunções concessivas: **embora**, **se bem que**, **ainda que**, **mesmo que**, **por mais que**, **por menos que**, **conquanto**	• **Embora não estudasse**, passou. • Passou, **se bem que não estudasse**. • **Ainda que não lutem**, vencerão. • **Por mais que se esforce**, não consegue nada.
Condicionais	**condição** Principais conjunções condicionais: **se**, **caso**, **contanto que**, **desde que**, **sem que** (na subordinada)/**não** (na principal)	• **Se não chover**, iremos à festa. • **Caso não chova**, iremos à festa. • Iremos à festa, **contanto que não chova**. • **Sem que estudes**, não serás aprovado.

Conformativas	**conformidade (acordo, adequação, não-contradição, modo)** Principais conjunções conformativas: conforme, segundo, consoante, como (igual conforme)	• Choveu **conforme se previa**. • Choveu, **como se previa**. • Choveu, **segundo se previa**. • Choveu, **consoante afirmava a meteorologia**.
Finais	**finalidade (objetivo)** Principais conjunções finais: a fim de, para que, para + verbo no infinitivo	• Esperamos o bom tempo **para que pudéssemos sair**. • Estudou muito **a fim de passar nas provas**. • Estudou **para passar nas provas**.
Proporcionais	**proporção** Principais conjunções proporcionais: à proporção que, à medida que, quanto mais (na subordinada)/ mais (na principal), quanto menos (na subordinada)/ mais ou menos (na principal)	• Ela engorda **à medida que come**. • **À proporção que come**, engorda. • **Quanto mais come**, mais engorda. • **Quanto menos se aborrece**, menos chora. • **Quanto menos come**, mais emagrece.

Temporais	**tempo** Principais conjunções temporais: quando, enquanto, logo que, desde que, assim que, mal	• Eles chegaram **assim que saímos**. • **Mal nós saímos**, eles chegaram. • Resolveremos tudo **assim que ele chegar**.

ORAÇÕES SUBORDINADAS REDUZIDAS

São orações que apresentam o verbo em uma das suas formas nominais: gerúndio, particípio ou infinitivo.
Para identificá-las, basta desenvolvê-las e classificá-las normalmente, como no quadro a seguir.

• Pensava **estar doente**. – sub. subst. obj. direta reduzida de infinitivo	• Pensava **que estava doente**. – sub. subst. obj. direta
• Havia pessoas **trabalhando no campo**. – sub. adj. restritiva reduzida de gerúndio	• Havia pessoas **que trabalhavam nos campos**. – sub. adj. restritiva
• **Terminada a festa**, saímos. – sub. subst. adv. temporal reduzida de particípio	• **Quando terminou a festa**, saímos. – sub. subst. adv. temporal

ORAÇÕES SUBORDINADAS JUSTAPOSTAS

São orações subordinadas que aparecem sem a presença de qualquer conectivo:

- **Fosse o veículo mais rápido**, ela seria atropelada.
  oração subordinada adverbial condicional justaposta
- De janeiro a fevereiro ninguém podia ir à praia, **dava insolação**.
  oração subordinada adverbial causal justaposta

ORAÇÕES INTERCALADAS

Orações independentes que não pertencem à seqüência do período, portanto não podem ser classificadas como coordenadas. São utilizadas como um aparte ou esclarecimento; normalmente vêm entre vírgulas ou travessões:

- Sendo assim – **disse o juiz** – sou obrigado a multá-los.
- Diante deste fato – **afirmou o delegado** – minhas opiniões mudarão.
- Como nada se resolveu, **retrucou ela**, voltarei em outra oportunidade.

Ficha de apoio I

Funções do *que*

Classificação	Exemplos
Substantivo: Equivale a **alguma coisa**. Vem sempre acentuado.	• Ele possui um **quê** de mistério. • Seu perfume tem um **quê** de enjoado.
Preposição: Liga dois verbos de uma locução. Equivale a **de**.	• Já é tarde, temos **que** sair. • Ela tem **que** dar uma resposta imediata.
Interjeição: Exprime espanto, admiração, surpresa. Acentuado e seguido de exclamação. Variante: **O quê!**	• **Quê!** Ela ainda não chegou! • **O quê!** Você por aqui? • **Quê!** Você fez isso?!

Classificação	Exemplos
Partícula expletiva ou de realce: Pode ser retirada da frase sem prejuízo para o sentido. Não tem qualquer função sintática. Variante: **é que**.	• Quase **que** não consigo chegar a tempo. • Ele quase **que** foi demitido por uma besteira. • Você **é que** sabe da sua vida.
Advérbio: Quando modifica um adjetivo ou advérbio. Equivale a **quão**.	• **Que** lindo está o dia! • **Que** longe fica a cidade! • **Que** brilhante ficou o seu trabalho!
Pronome relativo: Nas orações adjetivas. Retoma um termo da oração anterior e o projeta na que vem a seguir. Equivale a **o qual (e flexões)**.	• Não encontramos as pessoas **que** saíram. • Este é o presente **que** eu escolhi para você. • O rei, **que** dormia profundamente, acordou irritado.
Veja nas orações adjetivas como identificar a função sintática do "que" pronome relativo.	
Pronome substantivo indefinido: Equivale a **que coisa**. É acentuado quando no final da oração. Ligado a um verbo.	• **Que** houve com você? • Você precisa **de quê**? • "Você tem fome **de quê**?"
Pronome adjetivo indefinido: Vem determinando um substantivo. Aparece em orações exclamativas e interrogativas. Nas orações interrogativas é chamado de **pronome interrogativo**.	• **Que** vida é essa? • **Que** dia é hoje? • **Que** livros você comprou? • **Que** presente você lhe deu? • **Que** língua, a nossa!

Classificação	Exemplos
Conjunção: Liga duas orações. Não exerce função sintática. **Conjunção coordenativa**: liga duas orações coordenadas (neste caso, toma o nome da oração coordenada que encabeça). **Conjunção subordinativa**: liga duas orações subordinadas. Nas subordinadas adverbiais, ele toma o nome da subordinada; nas subordinadas substantivas, é conjunção subordinativa integrante.	• Venha logo, **que** o esperamos há horas. – conjunção coordenativa explicativa • Comeu tanto **que** passou mal. – conjunção subordinativa consecutiva • Cansados **que** estávamos, fomos dormir. – conjunção subordinativa causal • Quero **que** você venha. – conjunção subordinativa integrante • Desejo **que** sejas feliz. – conjunção subordinativa integrante

Ficha de apoio II

Funções do *se*

Classificação	Exemplos
Conjunção: Liga duas orações. Não exerce função sintática. **Conjunção subordinativa integrante**: inicia uma oração subordinada substantiva. **Conjunção subordinativa condicional**: inicia uma oração subordinada adverbial condicional (equivale a **caso**).	• Perguntamos **se** ela sabia de algo. – conjunção subordinativa integrante • Não sei **se** ele virá. – conjunção subordinativa integrante • **Se** você estudasse, passaria. – conjunção subordinativa condicional • **Se** tudo correr bem, eu irei amanhã. – conjunção subordinativa condicional

Classificação	Exemplos
Partícula expletiva ou de realce: Pode ser retirada da frase sem prejuízo ao sentido.	• Ele **se** casou ontem. • Sente-**se** e conte o que aconteceu. • Passaram-**se** os dias e nada ocorreu.
Parte integrante do verbo: Com os verbos pronominais (verbos que têm o pronome como parte de si, não sendo conjugados sem ele).	• Arrependa-**se**, pois chegou a sua hora. • Ele **se** queixava de tudo. • Ajoelhou-**se** no chão e orou.
Pronome apassivador (ou partícula apassivadora): Com verbo transitivo direto, formando a voz passiva pronominal. O substantivo que se liga ao verbo será sempre o sujeito.	• Vendem-**se** casas. • Aluga-**se** um bom apartamento. • Compram-**se** bois. • Conserta-**se** geladeira.
Índice de indeterminação do sujeito: Ligado a verbo intransitivo ou transitivo indireto. Torna o sujeito indeterminado.	• Vive-**se** bem no Sul. • Trabalha-**se** muito aqui. • Precisa-**se** de empregados.
Pronome reflexivo: Pode assumir as seguintes funções sintáticas: **Objeto direto** (equivale a **ele mesmo, ela mesma** etc.) **Objeto indireto** (equivale a **a si mesmo, a si mesma** etc.) **Sujeito do infinitivo** (equivale a **ele** ou **ela**)	• Ela cortou-**se** com a faca. (Ela cortou ela mesma com a faca – OD) • Ela **se** dá o direito de mentir. (Ela dá a si mesma o direito de mentir – OI) • Ela deixou-**se** levar pelos amigos. (Ela deixou ela levar pelos amigos – sujeito)

CAPÍTULO 8

PONTUAÇÃO GRÁFICA

Noções básicas

Não se separam os **termos essenciais** (sujeito, verbo, objetos e predicativo) com nenhum sinal de pontuação:

- Nós compramos a casa.
  suj. verbo OD
- Solicitamos a sua atenção.
  verbo OD
- Solicitamos uma audiência a S. Exª.
  verbo OD OI
- Solicitamos a S. Exª que nos dê uma audiência.
  verbo OI oração sub. subst. objetiva direta

Os **termos acessórios** são normalmente separados por vírgulas.	• Nós**, empresários,** compramos a casa. • Solicitamos**, Excelentíssimo Prefeito,** uma audiência. • O Brasil**, país do futuro,** precisa descobrir o presente.
Os **advérbios** podem ser separados ou não, é questão de estilo; o mais comum é separar os advérbios mais longos ou que se deseja enfatizar.	• Segue **em anexo** o material pedido. • Ele respondeu **claramente** o que foi perguntado. • Agiu **friamente** e **com toda a maldade**. • A empresa puniu**, de maneira absurda e desnecessária,** os funcionários em greve.

Advérbios deslocados para o início do período podem ser sempre separados por vírgula (no caso de advérbios curtos, a vírgula é opcional).	• **Em anexo,** apresentamos os cheques. • **Em anexo** apresentamos os cheques. • **Em 2003,** conseguiremos vencer. • **Em 2003** conseguiremos vencer.
Quando totalmente deslocados das suas posições, os advérbios devem ficar entre vírgulas.	• O país, **de fato,** vem apresentando significativas melhoras. • Nós todos, **periodicamente,** precisamos fazer sérios exames de consciência.

Emprego dos sinais de pontuação

VÍRGULA	
Mostra a inversão na ordem do período (oração subordinada anteposta à principal).	• **Se tudo correr bem,** nós iremos à festa. • **Quando o material chegar,** avise-me imediatamente. • **Para que tudo se resolva,** precisamos nos reunir.
Isola acréscimos (apostos, vocativos, expressões exemplificativas e retificativas: aliás, isto é, por exemplo, ou seja, ou melhor etc.)	• Arafat, **o líder palestino,** é um homem polêmico. • Queremos apenas, **senhores,** que colaborem. • O Brasil, **aliás,** avançou muito na medicina. • Você, **por exemplo,** é um bom aluno.

Indica a supressão de um ou mais termos na frase.	• Eu moro em Salvador; minha mãe, no Rio. • Ela gosta do carnaval; ele, do São João.
Separa termos da mesma função sintática (ou orações) em seqüência.	• O rádio, o relógio, a TV, tudo quebrou ao mesmo tempo. • Você sobe a primeira rua, desce a segunda à esquerda, vira na terceira esquina, passa o primeiro sinal e pede informações ao primeiro que encontrar.
Isola orações intercaladas (orações que vêm no meio de outra oração, normalmente introduzidas por verbo que indica fala (disse, comentou, falou etc.).	• Sendo assim, **disse eu,** não quero mais vê-lo. • Como você não estudou, **falou o professor,** sou obrigado a reprová-lo.
Separa orações subordinadas adjetivas explicativas (orações que funcionam como se fossem um aposto, explicando um termo da oração principal).	• O sol, **que é o centro do nosso universo,** nasce todos os dias. • Os meninos, **que se atrasaram muito,** perderam o jantar.
Antecede as conjunções adversativas e conclusivas.	• Ele iria à reunião, mas teve um problema. • Nós queremos a justiça, porém somos sempre traídos. • Lutou muito, pois nada tinha a perder.

Acompanha a conjunção **e**, nos seguintes casos: – quando vier seguida de sujeito diferente do da oração anterior;	• A mulher e os filhos menores ficaram na cidade**, e o marido** viajou com o filho mais velho. • O povo reclamou, lutou, exigiu seus direitos**, e a revolução** aconteceu finalmente.
– quando tiver peso adversativo, equivalendo a **mas**;	• Pedimos, imploramos**, e** não nos atenderam. • Estudamos, decoramos os assuntos**, e** mesmo assim fomos reprovados.
– quando houver uma série de orações coordenadas iniciadas por **e**.	• Vocês insistem**, e** reclamam**, e** pedem**, e** eu sempre os atendo. • E chove**, e** troveja**, e** neva.

FIQUE ATENTO!

Já é tradicional, principalmente na Redação Oficial, o uso da vírgula após o vocativo nas correspondências. Ela tanto aparece seguida de maiúscula quanto de minúscula. O uso da maiúscula é justificado apenas pelo espaço que fica entre o vocativo e o início do texto, mas não tem fundamento gramatical.

Senhor Diretor,
Solicitamos o envio de duzentas caixas de papel carbono...

Senhor Diretor,
solicitamos o envio de duzentas caixas de papel carbono...

PONTO-E-VÍRGULA

Separa idéias diferentes dentro do mesmo período.	• "Milagres feitos devagar são obras da natureza; obras da natureza feitas depressa são milagres." (Vieira) • Em relação à proposta, constatamos o seguinte: faltam alguns dados importantes; as certidões não foram apresentadas; as firmas não foram reconhecidas.
Pode substituir praticamente todas as conjunções.	• Ele era brilhante; o irmão não tinha a mesma competência. • Lutou com dificuldades; conseguiu vencê-las.
Pode substituir a vírgula antes de uma conjunção, para dar mais ênfase.	• Ele era brilhante; mas o irmão não tinha a mesma competência. • Cometeu erros; no entanto conseguiu corrigi-los.

DOIS-PONTOS

Introduzem discurso direto. Após os dois-pontos, neste caso, usa-se maiúscula.	• Emocionado, o deputado gritou: "Não aceitarei mais a corrupção!". • Cristo disse: "Bem-aventurados os que têm sede de justiça".
Nas correspondências, surgem após o vocativo (o texto em si é discurso direto, pois só se começa verdadeiramente o assunto após o vocativo).	• Senhor Diretor: Peço a gentileza de remeter, com a máxima urgência, o material que foi enviado ontem para a sua assinatura.

Introduzem explicações, enumerações, complementações etc.; neste caso, usa-se minúscula após os dois-pontos.	• O caso foi grave: os documentos foram fraudados, a assinatura foi falsificada e os cheques não tinham fundos. • Tudo aconteceu de repente: quando eu percebi, já havia batido no poste.

ASPAS

Usadas na transcrição de citações.	• "A maldade quase sempre é miséria ou ignorância." (Jorge Amado) • "Quanto mais negra a madrugada, mais belo o amanhecer." (Dom Hélder Câmara)
Caracterizam ironia ou ênfase.	• Você realmente é um "gênio". • Todos conhecem bem a sua "honestidade". • Preste atenção, mas "atenção" mesmo.
As aspas são usadas também para assinalar termos estrangeiros; mas os termos já consagrados pelo uso, praticamente incorporados à nossa língua, dispensam qualquer sinalização especial. No caso de termos estrangeiros, as aspas podem ser substituídas por negrito ou itálico. Termos latinos não devem vir entre aspas, mas em negrito, itálico ou simplesmente sublinhados.	• Ele é especialista em "hardware". • Vamos deixar as máquinas em "stand by". • Nós não temos "know-how" (*know-how*) neste assunto. • Vamos ao **shopping** comprar o material para o *coffee-break*. • Nossa empresa agora está totalmente **on line**. • Nosso **status** nos permite o que quisermos. • Os campi do país devem ser melhorados.

▼

FIQUE ATENTO!

O ideal é não usar termos estrangeiros – principalmente os termos em inglês que infestam atualmente a nossa língua – se houver termos equivalentes em português. Para que mandar fazer mil *folders* se você pode mandar fazer mil folhetos ou mil prospectos?

Assinalam expressões fora do nível lingüístico predominante no texto (gírias, regionalismos, termos técnicos em textos não técnicos etc.).	• Se for encontrado "gato" na instalação, o proprietário será punido. • Ela é um "dragão", mas seu irmão é "sarado", um verdadeiro "gato". • Eu fui a um "baba" lá na Pituba. • Ele adora as "peladas" do Aterro.
Podem substituir o travessão em diálogos.	• "Viu bem a cara deles?" • "Vi cara nenhuma. Parecia o fim do mundo..." • "E esse que te deu o soco?..." (*A coleira do cão* – Rubem Fonseca)

RETICÊNCIAS

Marcam interrupção intencional do discurso (continuidade, ironia, hesitação, suspense etc.).	• "De tudo ao meu amor serei atento**...**" • "**...** E o sol da liberdade em raios fúlgidos**...**" • Era tão bonita**...** que assustava as crianças. • Você sabe**...** não é que eu não queira**...** mas**...** é difícil explicar**...** • Então, eu olhei para o chefe e disse: "Por que o senhor não vai**...**".

PARÊNTESES

Isolam passagens que se desviam da seqüência natural do enunciado (comentários paralelos, explicações não essenciais, comentários subjetivos etc.).	• O dia 11 de setembro (dia do atentado terrorista aos Estados Unidos) ficará gravado em nossas mentes. • A empresa é muito conhecida no país e todos falam bem dela (mas eu acho bom fazermos uma pesquisa mais profunda sobre os seus diretores). • O juiz ladrão (difícil é saber qual deles...) foi afastado pela Confederação.

TRAVESSÃO

Identifica as falas em um diálogo.	• "– Salve! – Como é que vai? – Amigo, há quanto tempo!..." (Aldir Blanc)
Dá ênfase a palavras ou expressões.	• Ele só queria uma coisa – ficar sozinho. • Nós deixamos tudo no lugar – móveis, máquinas, ferramentas.

TRAVESSÃO DUPLO

Recurso de estilo que dá mais ênfase a determinado ponto do texto.	• A AIDS – o grande mal do século XX – ainda não está sob controle.
Usado também para separar o nome de uma entidade da sua sigla.	• A Coelba – Cia. de Eletricidade da Bahia – é uma das nossas antigas clientes.

EXCLAMAÇÃO	
Marca espanto, susto, admiração.	• Você veio! Que bom! • Você!, eu sabia que você iria aparecer.

INTERROGAÇÃO	
Usado nas interrogações diretas (nas indiretas a interrogação é feita através dos verbos).	• Por que você se atrasou**?** (direta) • Quero saber por que você se atrasou. (indireta)

FIQUE ATENTO!

Não há obrigatoriedade de usar maiúsculas após os pontos de exclamação e de interrogação. Se o texto após o ponto de interrogação ou exclamação for continuidade do anterior, a letra inicial será minúscula:

• Você!, **e**u tinha certeza de que ia encontrá-lo.

• O país? **o** país, meu caro, para o bem ou para o mal, continua o mesmo.

É comum o uso de exclamação e interrogação na mesma frase. Isso ocorre quando se quer demonstrar admiração seguida de uma pergunta (normalmente a pergunta é retórica, ou seja, já se tem a sua resposta):

- Você veio, meu amigo**?!**
- Que dia bonito, hein, João**?!**

Ficha de apoio

Tipos de discurso

Discurso direto: é a reprodução literal do que foi dito por alguém.

Características: Percebe-se claramente a fala do personagem. Há geralmente a presença de um verbo **dicendi** (são os verbos que introduzem fala, como **dizer**, **falar**, **responder**, **retorquir**, **gritar**, **sussurrar**, **indagar**, **afirmar**, **perguntar** etc.). Quando não há nenhum verbo **dicendi**, aparece um recurso de pontuação que introduz o discurso direto (dois pontos, travessão, aspas etc.). É claro que, na maioria das vezes, os verbos **dicendi** aparecem juntamente com os sinais de pontuação.	• Paulo disse: "Farei tudo o que me pedirem". • "D. Camila levantou os ombros. – Acho-lhe o nariz torto, disse." (Machado de Assis) • "... Jantou, saiu, caminhou para a rua da Mãe dos homens, onde reside, com um preto velho, pai José, que é a sua verdadeira mãe, e que neste momento conversa com uma vizinha. – Mestre Romão lá vem, pai José, disse a vizinha. – Eh! Eh! adeus, sinhá, até logo..." (Machado de Assis)

Discurso indireto: ao invés de reproduzir literalmente a fala do personagem, com suas próprias palavras, o narrador intervém, falando no lugar do personagem.

Características: Não é o personagem que fala; o narrador fala por ele, com suas palavras. Existe o verbo **dicendi**, mas normalmente introduzindo uma oração substantiva. Presença da 3ª pessoa na oração substantiva.	• Paulo disse que faria tudo o que lhe pedissem. • "... Afinal, disse-me que nenhum dos enfermeiros que tivera prestava para nada, dormiam muito, eram respondões..." (Machado de Assis)

Tipos de discurso	
Discurso indireto livre ou semi-indireto: é o discurso que mescla narrador e personagem. É como um devaneio no qual narrador e personagem se misturam a ponto de o leitor eventualmente não identificar quem é quem na narrativa. É um recurso basicamente literário.	
Características: Ausência de verbo **dicendi** ou pontuação característica de fala. Fala não-visível dos personagens. Narrador e personagem se confundem, mas percebe-se que os pensamentos pertencem ao personagem. Períodos livres, sem elo subordinativo.	"Entendia Alice que sua tarefa se complicava. Pensara antes nessas coisas, mas aquele era o momento de aprofundar. Por que Sapé, Alice? Parecia-lhe coisa do acaso. Por que estava ali, naquela noite, avaliando o passado? Orgulhava-se do pai, que tivera, mas não dava para viver da sua memória..." (José Louzeiro)

Transposição do discurso direto para o indireto	
Discurso direto	**Discurso indireto**
Pronomes pessoais – 1ª pessoa: **eu**, **me**, **mim**, **comigo** **nós**, **nos**, **conosco**	Pronomes pessoais – 3ª pessoa: **ele**, **ela**, **se**, **o**, **a**, **lhe**, **si**, **consigo** **eles**, **elas**, **os**, **as**, **lhes**
Verbos: presente do indicativo perfeito do indicativo futuro do presente	Verbos: imperfeito do indicativo mais-que-perfeito do indicativo futuro do pretérito do indicativo
Verbos: presente do subjuntivo futuro do subjuntivo imperativo	Verbo: imperfeito do subjuntivo

Tipos de discurso	
Pronomes: **este, esta, isto**	Pronomes: **aquele, aquela, aquilo**
Advérbios: **aqui, cá**	Advérbios: **ali, lá**
Advérbios: **agora, hoje**	Advérbios: **naquela ocasião, naquele dia** etc.
Exemplos	
Discurso direto	**Discurso indireto**
O médico disse-lhe: – **Eu** o conheço.	O médico disse-lhe que **ele** o conhecia.
Apontou para o carro e falou: – **Este aqui é** o melhor carro do mundo.	Apontou para o carro e falou que **aquele ali era** o melhor carro do mundo.
A professora lançou-lhe um olhar duro e ordenou-lhe: – **Pare** com **estas** brincadeiras.	A professora lançou-lhe um olhar duro e ordenou-lhe **que parasse** com **aquelas** brincadeiras.
Emocionado, o presidente disse: – **É** uma honra estar com **vocês neste** dia festivo.	Emocionado, o presidente disse que **era** uma honra estar com **eles naquele** dia festivo.

CAPÍTULO 9

CONCORDÂNCIA VERBAL

CONCORDÂNCIA NOMINAL

PLURAL DOS COMPOSTOS

CONCORDÂNCIA VERBAL

CASOS	REGRAS	EXEMPLOS
Datas	Plural: concordância com a expressão numérica Singular: concordância com a palavra **dia**, implícita	• Hoje **são** 14 de agosto. • Hoje **é** 14 de agosto. • Amanhã **serão** 15 de agosto. • Amanhã **será** 15 de agosto.
Sujeito neutro (tudo, nada, isso, aquilo etc.)	Concorda normalmente com o predicativo.	• Nem tudo na vida **são** flores. • Nada **eram** verdades nas suas palavras. • Aquilo **eram** bobagens passageiras.
Verbo haver no sentido de existir Verbo haver no sentido de existir **em locuções verbais**	Impessoal – 3ª pessoa do singular O auxiliar também se torna impessoal.	• Não **haveria** razões para críticas. • **Havia** muitas pessoas na festa. • Não **parecia haver** muita gente ali. • Eu **sabia haver** vários fatos tristes.
Verbo fazer indicando tempo decorrido. Verbo fazer indicando tempo decorrido **em locuções verbais**.	Impessoal – 3ª pessoa do singular O auxiliar também se torna impessoal.	• **Faz** muitos anos que não a vejo. • **Faz** meses que isso aconteceu. • **Deve fazer** dois anos que eu trabalho aqui.

CASOS	REGRAS	EXEMPLOS
Verbos que exprimem fenômenos naturais	Impessoais – 3ª pessoa do singular No sentido figurado admitem o plural.	• **Choveu** durante a madrugada. • **Ventou** e **trovejou** durante toda a noite. • Seus olhos **relampejaram** de raiva.
Horas	Concordância com o sujeito (o relógio ou equivalente) ou com o número de horas	• **Deram** 10 horas quando cheguei. • No meu relógio **são** exatamente 12 horas. • **Deu** meio-dia em todos os relógios. • O meu relógio **marca** 8 horas.
Sujeito composto posposto ao verbo	Concorda com o mais próximo ou vai para o plural.	• **Chegou** à minha casa um amigo e sua esposa. • **Chegaram** à minha casa um amigo e sua esposa.
Sujeito composto com núcleos do mesmo campo semântico (sinônimos ou sentidos muito próximos)	Plural ou singular	• A ira e o ódio **dominava** seu coração. • A ternura e a delicadeza o **tornavam** especial.

▼

CASOS	REGRAS	EXEMPLOS
Sujeito pluralizado (a expressão, no plural, refere-se a apenas um elemento)	Concordância com o artigo (plural); possível concordância ideológica (silepse de número) levando o verbo ao singular; com títulos de obras, concordância com o complemento (normalmente singular)	• Os Estados Unidos **estão** em grande decadência. • Os Estados Unidos **concordou** em assinar o Tratado. • Campinas **vem** crescendo muito. • As *Cartas Portuguesas* **é** um livro que marcou a literatura romântica.
Expressões partitivas (mais de um, a maioria, a minoria, grande parte, a maior parte etc.)	Sozinhas exigem o singular; podem admitir o plural, concordando com o complemento; para a maioria dos gramáticos, o plural, apesar de correto, não é estilisticamente aconselhável.	• A maioria **concordou** comigo. • A maioria das pessoas **concordaram** comigo. • A maioria das pessoas **concordou** comigo. (aconselhável)
Sujeitos unidos por "ou"	Exigem o singular se houver claramente exclusão de um dos sujeitos; se não houver exclusão, deve ser usado o plural.	• Ou ela ou a irmã **ficará** com a herança. • O cardeal brasileiro ou um dos cardeais latinos **será** o próximo papa. • A chuva forte no inverno ou o sol inclemente no verão **acabam** com as plantações.

CASOS	REGRAS	EXEMPLOS
Sujeitos unidos por "nem"	Singular quando exprime ação individual (fica claro que apenas um dos elementos é responsável pela ação); plural quando exprime ação conjunta (os dois elementos unidos pelo "nem" são claramente responsáveis pela ação).	• Nem Paulo nem João **será** o novo presidente da empresa (só há um cargo de presidente). • Nem as greves nem as falsas acusações **abalaram** o prestígio do presidente (os dois elementos em conjunto não abalaram...).
Expressão "mais de um"	Normalmente pede singular; o plural só é usado para dar idéia de reciprocidade.	• Mais de um rei **foi** deposto pelo povo. • Mais de um guerreiro **feriram-se** na batalha.
Infinitivo	Concorda normalmente com o sujeito. Em locuções verbais só se flexiona o primeiro verbo. O verbo **parecer** admite dupla flexão.	• Foi triste **ver** os homens **chorarem**. • Foi triste **vê**-los **chorarem**. • Eles **resolveram comprar** a casa. • Nós **decidimos fazer** o trabalho. • Elas **pareciam ser** inteligentes. • Elas **parecia serem** inteligentes.
Pronome relativo "que"	Concordância com o termo anterior a ele	• Eu sou aquele que **reclamou** das contas. • Nós somos os que **sabem** de tudo.

▼

CASOS	REGRAS	EXEMPLOS
Pronome relativo "quem"	Regra geral: o verbo vai para a 3ª pessoa do singular. Com o verbo **ser** admite o plural. O verbo também pode concordar com o antecedente do pronome "quem".	• Não sou eu quem **diz** isso. • Não sabemos quem **cometeu** o crime. • Quem **são** aquelas pessoas? • Não sabemos quem **são** aquelas pessoas. • Fui eu quem **fez** (concorda com "quem"). • Fui eu quem **fiz** (concorda com "eu").
Percentagem	Dupla concordância. Havendo um complemento, a tendência é concordar com ele.	• 10% **resolverá** o nosso problema. • 10% **resolverão** o nosso problema. • 10% do material **desapareceu** do depósito. • 10% dos recursos **foram** desviados.
Frações	Concordância com o numerador ou com o complemento	• 1/3 do material **chegou** com atraso. • 1/3 das pessoas se **dizem** felizes. • 2/4 **devem ser** dissolvidos em água mineral. • 2/4 do livro **é** bobagem pura.

CONCORDÂNCIA NOMINAL

CASOS	REGRAS	EXEMPLOS
Adjetivo + substantivo	O adjetivo concorda em gênero e número com o substantivo a que se refere.	• homem **alto** – homens **altos** • mulher **bonita** – mulheres **bonitas**
Adjetivo + dois ou mais subs-tantivos do mesmo gênero	Vai para o plural (concordância gramatical) ou concorda com o mais próximo (concordân-cia atrativa).	• político e advogado **honestos** • político e advogado **honesto**
Adjetivo + substantivos de gêneros diferentes	Masculino plural ou mais próximo. Se o adjetivo vier antes do substanti-vo, ligando-se diretamente a ele, deverá concordar com o mais próximo. No caso de nomes próprios ou de parentesco, o adjetivo vai ao plural. Quando o adjetivo está ligado clara-mente apenas ao último elemento, concorda apenas com ele.	• Tinha cabelos e barba **negros**. • Tinha cabelos e barba **negra**. • Tinha **longa** barba e bigode. • Conheci os **famosos** Luís e João. • Chegaram as **simpáticas** tia e sobrinha. • Possuía uma casa e um cachorro **velho**. • Morava com a irmã e um primo **doente**.

CASOS	REGRAS	EXEMPLOS
Menos	Invariável (não existe **menas**)	• Eu estava com **menos** disposição que ontem.
Pseudo	Invariável	• Odeio os **pseudo**-moralistas.
Alerta	Como advérbio é invariável.	• Todos os guerreiros estavam **alerta**.
	Como adjetivo (atentos, espertos) é variável.	• Todos os soldados estavam **alertas** em seus postos.
Em anexo	É advérbio e, portanto, invariável.	• Seguem **em anexo** todos os livros.. • Segue **em anexo** o material solicitado.
Bastante	Pode ser advérbio (muito); neste caso é invariável. Pode também ser pronome adjetivo (muitos, vários etc.); neste caso é variável.	• Eram dias **bastante** quentes. • Todos ficamos **bastante** tristes. • Nós temos **bastantes** livros. • Nomearam seus **bastantes** procuradores...
Obrigado, anexo, quite, incluso, leso, mesmo e próprio	Variáveis: concordam com o sujeito.	• Ela respondeu educadamente: – Muito **obrigada**. • Seguem **anexos** os documentos. • Seguem **anexas** as cartas.

CASOS	REGRAS	EXEMPLOS
Obrigado, anexo, quite, incluso, leso, mesmo e próprio	Variáveis: concordam com o sujeito.	• Nós estamos **quites** com nossos credores. • Eu finalmente estou **quite**. • Os selos estão **inclusos** no preço. • Cometeu crime de **lesa-majestade**. • Ela **mesma** fez tudo. • Eles **mesmos** se apresentaram. • Eles **próprios** confirmaram o fato.
Meio	Pode ser advérbio (um pouco); neste caso é invariável. Pode ser numeral, significando "a metade de"; neste caso, é variável.	• Todos eles estavam **meio** tristes. • Aquelas instruções foram **meio** confusas. • Eram exatamente **meio**-dia e **meia** (hora). • Estava com tanta fome que comeu uma jaca e **meia** (meia jaca).
Haja vista	Invariável, mas alguns autores consideram válida a opção "hajam vista".	• O Brasil mudou muito, **haja vista** as eleições de 2002.

CASOS	REGRAS	EXEMPLOS
Caro e barato	Como advérbios são invariáveis. Como adjetivos podem variar.	• Os livros custaram muito **caro**. • Comprou **barato** os carros novos. • Os livros eram bons, mas muito **caros**.
Possível (adjetivo)	Concorda com o artigo.	• Carros os mais rápidos **possíveis**. • Carro o mais veloz **possível**. • Pessoas as mais inteligentes **possíveis**.
Adjetivo usado com o verbo ser	Concorda com o substantivo (se precedido do artigo) ou vai para o masculino se não houver artigo.	• **É proibida** a entrada de pessoas estranhas. • **É proibido** entrada de pessoas estranhas. • Ginástica **é bom** para a saúde.
Pronomes de tratamento	Normalmente vão para o feminino. Podem concordar com o sexo da pessoa à qual se referem (silepse de gênero).	• V. Exª é **uma ótima** pessoa. • Sua Santidade estava muito **abatida**. • Sua Santidade estava muito **abatido**.

CASOS	REGRAS	EXEMPLOS
Numerais (mais de um numeral ordinal referindo-se a um só substantivo)	O substantivo fica no plural. Se o substantivo estiver no final e os numerais estiverem precedidos de artigo, o substantivo pode ficar no singular ou no plural.	• 1º, 2º e 3º **volumes**. • O 1º, o 2º e o 3º **volume**. • O 1º, o 2º e o 3º **volumes**.
Tal qual	Variável (**tal** concorda com o sujeito; **qual**, com o termo referido).	• Ele era **tal qual** o irmão. • Eles eram **tais quais** os irmãos. • Eles eram **tais qual** o amigo. • Ele era **tal quais** os amigos.

PLURAL DOS COMPOSTOS

VARIAM OS DOIS ELEMENTOS

Palavras compostas por substantivo + palavra variável (adjetivo, substantivo, numeral ou pronome)	• guarda-noturno – guarda**s**-noturno**s** • quarta-feira – quarta**s**-feira**s** • meio-fio – meio**s**-fio**s**

VARIA APENAS O PRIMEIRO ELEMENTO

Palavras compostas em que haja preposição clara ou oculta.	• pé-de-moleque – pé**s**-de-moleque • grão-de-bico – grão**s**-de-bico • cavalo-vapor – cavalo**s**-vapor
Palavras compostas formadas por substantivos, quando o segundo determina o primeiro (idéia de fim ou semelhança). Alguns autores admitem a flexão dos dois elementos.	• manga-rosa – manga**s**-rosa (semelhantes a) • navio-escola – navio**s**-escola (com a finalidade de) • salário-família – salário**s**-família (para a)

VARIA APENAS O ÚLTIMO ELEMENTO

Palavras compostas formadas por adjetivos.	• luso-brasileiro – luso-brasileiro**s** • afro-americano – afro-americano**s** ***Exceção**: surdo-mudo – surdo**s**-mudo**s**

Palavras compostas formadas pelas formas adjetivas **grão**, **grã** e **bel**.	• grão-vizir – grão-vizir**es** • grã-cruz – grã-cruz**es** • bel-prazer – bel-prazer**es**
Palavras compostas formadas por verbo ou elemento invariável (advérbio, interjeição, prefixo etc.) + substantivo ou adjetivo.	• beija-flor – beija-flor**es** • sempre-viva – sempre-viva**s** • vice-diretor – vice-diretor**es**
Palavras compostas formadas por palavras repetidas ou onomatopéia. *onomatopéia: figura de linguagem que pretende repetir o som produzido por alguém ou alguma coisa. **com verbos repetidos podem-se usar os dois elementos no plural.	• reco-reco – reco-reco**s** • tique-taque – tique-taque**s** • bem-te-vi – bem-te-vi**s** • au-au – au-au**s** • corre-corre – corre-corre**s** ou corre**s**-corre**s** • pisca-pisca – pisca-pisca**s** ou pisca**s**-pisca**s**
Palavras compostas de verbo seguido de substantivo no plural.	• saca-rolha**s** – os saca-rolha**s** • caça-fantasma**s** – os caça-fantasma**s** • troca-tinta**s** – os troca-tinta**s**

NÃO HÁ VARIAÇÃO DE QUALQUER ELEMENTO (PLURAL APENAS NO ARTIGO)

Palavras compostas formadas de verbos + palavra invariável.	• o ganha-pouco – o**s** ganha-pouco • o bota-fora – o**s** bota-fora • o cola-tudo – o**s** cola-tudo

Palavras compostas de verbos de sentido oposto.	• o leva-e-traz – o**s** leva-e-traz • o perde-ganha – o**s** perde-ganha
Nas frases substantivas, ou melhor, nos substantivos frasais	• o bumba-meu-boi – o**s** bumba-meu-boi • o disse-me-disse – o**s** disse-me-disse

FIQUE ATENTO!

Arco-íris, louva-a-deus, sem-vergonha e sem-terra (e suas variantes como sem-teto) são invariáveis.

- Vimos **alguns belos arco-íris** após a tempestade.
- Se **os sem-terra** e **os sem-teto** se unirem, algo mudará.

Alguns compostos admitem mais de um plural.

- padre**s**-nosso**s** ou padre-nosso**s**
- pai**s**-nosso**s** ou pai-nosso**s**
- salvo**s**-conduto**s** ou salvo-conduto**s**
- fruta**s**-**pães** ou fruta**s**-pão
- xeque**s**-mate**s** ou xeque**s**-mate
- guarda**s**-marinha**s** ou guarda**s**-marinha

Casos especiais

- o bem-me-quer – o**s** bem-me-quer**es**
- o joão-ninguém – o**s** jo**ões**-ninguém
- o lugar-tenente – o**s** lugar-tenente**s**
- o mapa-múndi – o**s** mapa**s**-múndi

PLURAL DAS CORES

Quando a palavra é composta por dois adjetivos, o segundo varia. **Exceções**: azul-marinho e azul-celeste, invariáveis.	• camisa verde-escura – camisa**s** verde-escura**s** • blusa azul-clara – blusa**s** azul-clara**s** • carro**s** **azul-marinho**, olho**s** **azul-celeste**
Se a palavra composta for usada como substantivo, variam os dois elementos.	• o verde-claro – o**s** verde**s**-claro**s** • o azul-celeste – o**s** azu**is**-celeste**s**
Palavra composta formada por adjetivo e substantivo ou vice-versa: nenhum dos elementos varia.	• camisa**s** **amarelo-canário** • olho**s** **verde-esmeralda** • gravata**s** **cinza-claro**
Se a cor for representada por uma única palavra, essa irá para o plural se for um adjetivo e ficará no singular se for um substantivo.	• camisa**s** cinzenta**s** • camisa**s** cinza

Ultravioleta e **infravermelho** são invariáveis.

CAPÍTULO 10

ORTOGRAFIA

EMPREGO DE LETRAS

H	No final de algumas **interjeições**. No início de algumas palavras, quando exigido pela etimologia.	• o**h**!, a**h**!, i**h**! • **h**ábil, **h**abitação, **h**ábito, **h**erói, **h**idro, **h**umano, **h**onesto
	Há palavras nas quais se eliminou o **h** etimológico, mas ele pode aparecer em formas derivadas dessas palavras.	• erva (do latim ***h**erba, ae*) – **h**erbáceo, **h**erbicida • andorinha (do latim ***h**irundo, inis*) – **h**irundino (relativo a andorinha) • inverno (do latim ***h**ibernus, a, um*) – **h**ibernação, **h**ibernar, **h**ibernal
	No interior de vocábulos, quando: a) faz parte dos dígrafos **ch**, **lh**, **nh**. b) nos compostos cujo segundo elemento, começando com **h**, se une ao primeiro por hífen.	• c**h**apéu, arc**h**ote, c**h**uva, mol**h**o, cal**h**a, pil**h**a, colarin**h**o • pré-**h**istória, anti-**h**igiênico, super-**h**omem

*Ba**h**ia* é escrito com **h** por tradição, mas seus derivados não: *baiano*, *baianidade*, *baianês*. O nome do acidente geográfico é escrito sem **h**: *Baía de Todos os Santos*.

Não existe, em português, **h** medial: *desonra*, *desumano*, *subumano*, *desabitado*, *inábil*, *lobisomem*.

	Depois de **ditongos**	• coi**s**a, fai**s**ão, mau**s**oléu, mai**s**ena, lou**s**a, Cleu**s**a
	Nos adjetivos terminados pelo sufixo **-oso(a)**, indicador de estado pleno, abundância, e pelo sufixo **-ense**, formador de adjetivos.	• cheiro**s**o, dengo**s**o, horroro**s**o, gaso**s**o, fluminen**s**e, palmeiren**s**e, canaden**s**e
	Nos sufixos **-ês**, **-esa**, **-isa**, indicadores de título de nobreza, origem ou profissão.	• francê**s**, france**s**a, holandê**s**, holande**s**a, burguê**s**, calabrê**s**, calabre**s**a, poeti**s**a, sacerdoti**s**a, profeti**s**a
S	Nas formas dos verbos **pôr** e **querer**.	• pu**s**, pu**s**este, pu**s**er, qui**s**, qui**s**er, qui**s**éssemos
	Nas palavras derivadas de outras cujo radical termina em **s**.	• ca**s**a: ca**s**inha, ca**s**ebre, ca**s**arão • atrá**s**: atra**s**ar, atra**s**ado • pesqui**s**a: pesqui**s**ar, pesqui**s**ado
	Nas seguintes correlações: **nd** – **ns** **pel** – **puls**	• prete**nd**er – prete**ns**ão • suspe**nd**er – suspe**ns**ão • im**pel**ir – im**puls**o, im**puls**ivo • re**pel**ir – re**puls**a, re**puls**ivo • ex**pel**ir – ex**puls**ão, ex**puls**ar

Atenção para estas duas formas: *cateque**s**e* e *catequi**z**ar*.

Z	Nas palavras derivadas de uma primitiva grafada com **z**.	• jui**z**: jui**z**ado, juí**z**a, ajui**z**ar • desli**z**e: desli**z**ar, desli**z**ante • cru**z**: cru**z**eiro, cru**z**amento
	Nos sufixos -**ez**, -**eza**, formadores de substantivos abstratos femininos a partir de adjetivos.	• insensato: insensate**z** • estúpido: estupide**z** • altivo: altive**z** • grande: grande**z**a
	No sufixo -**izar**, formador de verbo.	• hospital: hospitali**z**ar • canal: canali**z**ar • real: reali**z**ar • humano: humani**z**ar
	Nos verbos terminados em -**uzir**, e em suas formas em que ocorre o fonema /**z**/.	• aduzir: adu**z**o, adu**z**, adu**z**i • conduzir: condu**z**o, condu**z**iu • deduzir: dedu**z**o, dedu**z**iste • produzir: produ**z**o, produ**z**i

Nas palavras *analisar* e *avisar* não há sufixo **-izar**. A formação foi *análise* + *ar* = analisar, e *aviso* + *ar* = avisar.
Sufixos **-inho** e **-zinho**: Para formar o diminutivo, observe o seguinte: se a palavra primitiva terminar em **s** ou **z**, acrescente **-inho(a)**; se ela apresentar outra terminação, acrescente **-zinho(a)**: pire**s** – pire**s**inho; lápi**s** – lapi**s**inho; rai**z** – rai**z**inha; jui**z** – jui**z**inho; papel – papel**z**inho; pé – pe**z**inho; pai – pai**z**inho

SS	Nas seguintes correlações: **ced** – **cess**	• **ced**er, **cess**ão, **cess**ionário • con**ced**er, con**cess**ão
	gred – **gress**	• a**gred**ir – a**gress**ão, a**gress**ivo • pro**gred**ir, pro**gress**o, pro**gress**ivo
	prim – **press**	• im**prim**ir, im**press**ão, im**press**ora • o**prim**ir, o**press**ão, o**press**or
	tir – **ssão**	• admi**tir**, admi**ssão** • discu**tir**, discu**ssão** • permi**tir**, permi**ssão**
Ç	Nas palavras de origem **árabe**, **tupi** ou **africana**.	• a**ç**afrão, a**ç**úcar, mu**ç**ulmano, ara**ç**á, pa**ç**oca, Ju**ç**ara, Pai**ç**andu, ca**ç**ula
	Após **ditongos**.	• lou**ç**a, fei**ç**ão, trai**ç**ão
	Na correlação **ter** – **-tenção**.	• abs**ter**, abs**tenção**; ob**ter**, ob**tenção**; con**ter**, con**tenção**
	Nos sufixos **-ação** e **-ção** formadores de substantivos a partir de verbos.	• formar, forma**ção**; exportar, export**ação**; destruir, destrui**ção**
	Nos sufixos **-aça(o)**, **-iça(o)**, **-uça(o)**.	• barc**aça**, carn**iça**, ric**aço**, can**iço**, dent**uça**

X	Palavras de origem **indígena** ou **africana**.	• **x**avante, abaca**x**i, ca**x**ambu, ori**x**á, **x**ará, **X**angô
	Normalmente depois de **ditongo**.	• cai**x**a, pei**x**e, amei**x**a, fai**x**a
	Depois das sílabas iniciais **en** e **me**.	• en**x**ada, en**x**oval, en**x**ame, en**x**aqueca • me**x**er, me**x**ilhão, me**x**icano

*Recau**ch**utar* e *recau**ch**utagem* derivam de *cau**ch**o*, palavra que designa uma espécie de árvore semelhante àquela de onde se extrai o látex, e seu produto; por isso são grafadas com **ch**.

*En**ch**er e seus derivados* são com **ch**: *en**ch**imento*, *en**ch**ido*, *en**ch**ente* etc.
Quando o prefixo **en-** junta-se a um radical iniciado por **ch**, o **ch** permanece: *en**ch**arcar*, *en**ch**arcado* (de **ch**arco), *en**ch**umaçar*, *en**ch**umaçado* (de **ch**umaço), *en**ch**ocalhar* (de **ch**ocalho).
*Me**ch**a e seus derivados* escrevem-se com **ch**.

J	Nas palavras derivadas de primitivas que se escrevem com **j**.	• a**j**eitar, a**j**eitado (de **j**eito), laran**j**eira, laran**j**al (de laran**j**a)
	Nas palavras de origem **tupi**.	• **j**ibóia, pa**j**é, **j**enipapo
	Nas formas dos verbos terminados em **-jar**.	• arran**j**e, arran**j**ar, arran**j**emos, despe**j**aram, despe**j**ado etc.
	Na terminação **-aje**.	• **laje**, **traje**, ultr**aje**

G	Nas palavras derivadas de outras que já apresentam **g**.	• á**g**io, a**g**iota, a**g**iotagem
	As palavras terminadas em **-ágio**, **-égio**, **-ígio**, **-ógio**, **-úgio**.	• ped**ágio**, egr**égio**, lit**ígio**, rel**ógio**, ref**úgio**
	Nos substantivos terminados em **-gem**.	• gara**gem**, cora**gem**, verti**gem**
	Geralmente depois de **a** inicial	• á**g**io, á**g**il, a**g**iota

Exceção: os substantivos *pa**j**em* e *lambu**j**em* (escritos com **j**).

E	Nas formas dos verbos terminados em **-oar** e **-uar**.	• abençoar: abenço**e**, abençoe**s** • perdoar: perdo**e**, perdo**e**s • continuar: continu**e**, continu**e**s
	Nos ditongos nasais **ãe**, **õe**.	• p**ãe**s, m**ãe**, c**ãe**s, casar**õe**s.
	No prefixo **ante-** (anterioridade).	• **ante**pasto, **ante**véspera, **ante**diluviano

Exceção: *câ**i**mbra* ou *cã**i**bra*, que se escrevem com **i**.

I	Nas formas dos verbos terminados em **-air**, **-oer**, **-uir**.	• s**air**: sa**i**, saímos • c**air**: ca**i**, ca**i**s • m**oer**: mó**i**, mó**i**s • poss**uir**: possu**i**s

I	No prefixo **anti-** (ação contrária).	• **anti**aéreo, **anti**biótico, **anti**jurídico
	No verbo **criar e seus derivados**.	• cr**i**ar, cr**i**ação, cr**i**atura, malcr**i**ado

Ficha de apoio I

Usos do hífen

Prefixos	Hífen antes de	Exemplos com hífen	Exemplos sem hífen
auto, contra, extra, infra, intra, neo, proto, pseudo, semi, supra, ultra	**h – r – s – vogal**	pseudo-sábio, proto-história, ultra-eficiente, contra-revolução, neo-historiador. **Exceção**: **extraordinário**	autodidata, semicírculo, infravermelho, protomártir, pseudocientista
ante, anti, arqui, sobre	**h – r – s**	ante-sala, anti-horário, sobre-humano. **Exceções**: **sobressair**, **sobressaltar** (e derivados)	anticristo, arquiinimigo, sobrecoxa, antiinflamatório
super, hiper, inter	**h – r**	super-homem, hiper-resistente, inter-racial	supermacio, hipertensão, internacional

Prefixos	Hífen antes de	Exemplos com hífen	Exemplos sem hífen
ab, ad, sob, sub (**ad pede hífen também antes de d*).	**r – b**	sub-realidade, sob-roda, sub-reptício, sub-base, ad-digital	subdelegacia, subchefe, subgerente, subumano
mal, pan, circum	**vogal – h**	pan-americano, mal-educado, circum-hospitalar	circumpolar, malquerido, panteísmo

Sempre com hífen

Prefixos	Exemplos
além, aquém, ex, nuper, pós, pré, pró, recém, sem, sota, soto, vice, vizo, pára (verbo parar)	além-mar, aquém-túmulo, ex-governador, pós-gravidez, pré-vestibular, recém-casado

Sempre sem hífen

Prefixos	Exemplos
aero, agro, alo, anfi, antropo, apo, áudio, auri, bi, bio, braqui, caco, cata, cefalo, cardio, cloro, cromo, denti, dermo, di, dia, electro, endo, equi, ferro, fibro, filo, fito, geo, hemi, hetero, hidro, homo, isso, linguo, macro, médio, meso, meta, micro, mini, mono, morfo, multi, neuro, oftalmo, oleo, paleo, para, pluri, poli, psico, radio, retro, sócio, tele, termo, tri, uno, zoo	aerodinâmica, agroindústria, cardiologia, hidroginástica, metalinguagem, oftalmologia, pluripartidário, psicolingüística, retroprojetor, microcomputador, miniapartamento, socioeconômico, heterossexual, macroindústria, linguodental, fitoterapia, telecinético, antropologia, radioterapia, bicampeão, tricampeonato, morfossintaxe, isossilábico, bioestatística, cacorritmia, cefalorraquidiano, braquirrino, alorritmia, fotossíntese, fibrorradiado

Quando a palavra ligada ao prefixo começa com as consoantes **r** e **s**, elas são duplicadas (se não houver o hífen).	• homossexual • heterossexual • minissaia • minirroda
Quando a palavra ligada ao prefixo começa com **h**, este desaparece.	• subumano • desumano • desonra
Bem e **não** recebem hífen quando dão idéia de palavra com vida autônoma.	• mal-amada • bem-me-quer • não-alinhados

OUTROS CASOS

Usa-se o hífen nas formas verbais com pronomes em ênclise ou mesóclise.	• vendê-lo • comprá-lo-ei
Usa-se o hífen em substantivos ou adjetivos compostos por justaposição.	• guarda-chuva • arco-íris
O prefixo **co-** praticamente não tem regras definidas, aparecendo hora com hífen e hora sem.	• com hífen: co-avalista, co-beligerante, co-interessado • sem hífen: coabitar, coadquirir, coagir, coincidir

Ficha de apoio II – os porquês

Por que

Uso	Exemplos
Nas **interrogações diretas** (com ponto de interrogação). (É a preposição **por** seguida do pronome interrogativo **que**.)	• **Por que** você não foi? • "**Por que** me retiraste do abandono?..." (Chico Buarque) • **Por que** há tanto ódio no mundo?
Nas **interrogações indiretas** (sem ponto de interrogação. O sentido interrogativo é expresso pelo verbo ou pelo sentido geral da frase.)	• Gostaria de saber **por que** ela não veio. • Quero que você me explique **por que** tudo deu errado. • Conte-me logo **por que** ele foi preso.
Em qualquer frase, mesmo não sendo interrogativa, na qual ele tenha o sentido de **por que razão**, **por que motivo**.	• Não se sabe **por que** ele agiu assim. • Eu sei **por que** ele agiu assim. • Ignoramos **por que** ele faltou.
Equivalendo a **pelo qual** e suas flexões. (É a preposição **por** seguida do pronome relativo **que**.)	• Aquela foi a razão **por que** ele se demitiu. • Este é o caminho **por que** passamos todos os dias. • Aquele foi o filme **por que** me apaixonei.

Por quê	
Uso	**Exemplos**
No final das interrogativas ou formando uma frase interrogativa isolada (o acento aparece porque o **que** em final de frase interrogativa é sempre acentuado).	• Você não compareceu **por quê**? • Ele agiu de maneira tão estranha **por quê**? • Vivemos hoje um momento muito confuso. **Por quê**? Ninguém sabe.

Porque	
Uso	**Exemplos**
Conjunção explicativa ou causal. Equivale a **pois**.	• Vejo que choveu, **porque** a rua está molhada. • A noite deve estar animada, **porque** hoje é sábado. • Foi aprovado **porque** estudou. • Ficou rico **porque** trabalhou muito.

Porquê	
Uso	**Exemplos**
É substantivado e admite artigo ou pronome adjetivo. Equivale a **o motivo**, **a causa**, **a razão**.	• Quero saber **o porquê** de tudo. • Ignoro **o porquê** da sua atitude. • Procuro uma resposta aos **teus porquês**.

Ficha de apoio III – as abreviações

As siglas

As siglas são formadas por letras ou sílabas iniciais de nomes próprios:

- **INSS** – **I**nstituto **N**acional de **S**eguro **S**ocial
- **Petrobras** – **Petro**leo **Bras**ileiro

Nas siglas não se usam pontos abreviativos:

- **IBM** (e não I.B.M.)
- **CPF** (e não C.P.F.)

As siglas podem formar palavras derivadas:

- **ibemistas** (funcionários da IBM)
- **celetistas** (funcionários regidos pela CLT – Consolidação das Leis do Trabalho)

Maiúsculas e minúsculas

Grafadas todas em maiúsculas	Exemplos	Somente inicial maiúscula	Exemplos
até 3 letras ou não formando palavra possível.	**CNI** **CPI** **CPMF**	todas as que formem palavra possível na língua.	**Sesi**, **Senai**, **Ceplac**, **Petrobras**, **Unesco**, **Unicef**

Plural das siglas

Apenas o **s** minúsculo ou plural apenas no artigo:

- Foram instauradas várias CPI**s**.
- **As CPI** não deram em absolutamente nada.

Atenção: há um modismo, derivado da influência do inglês na nossa cultura, de usar um apóstrofo para fazer o plural de siglas. Isso não faz o menor sentido, sobretudo em português, uma vez que o apóstrofo, no inglês, é usado como marca de possessivo, e não de plural.

Observação importante:
Ao se usar uma sigla em um texto, ela deve vir primeiro e sua designação por extenso depois, entre travessões:

- A **CNI** – **Confederação Nacional das Indústrias** – resolveu apoiar a campanha do Deputado...
- A **Ceplac** – **Comissão Executiva do Plano da Lavoura Cacaueira** – é uma empresa de alta tecnologia.

Abreviatura

A abreviatura é a redução (seguida de ponto) da palavra, indicada pela letra inicial, pelas sílabas ou letras iniciais, ou, ainda, pelas letras médias e finais:

- **Dec**. **(decreto)**
- **Dr**. **(doutor)**
- **Sr**. **(senhor)**
- **Exmo**. **(excelentíssimo)**

A abreviatura não pode terminar em final de sílaba. Assim, por exemplo, a palavra "presente" só pode ser abreviada como **pres**. As abreviaturas "presen" ou "pre" são inadmissíveis.

Símbolo

É um sinal que representa uma palavra.
É usado sempre no singular, sem ponto abreviativo:
m (metros): A casa fica a 10 **m** do vizinho do lado.
g (grama): Traga-me 100 **g** de presunto.
h (hora): Vou encontrá-lo às 12**h**, na padaria.
min (minutos): Chegou às 12**h**30**min** e nem explicou o motivo do atraso.

Observação:
Alguns gramáticos, entre eles Domingos Paschoal Cegalla, não usam a designação "símbolo" para os casos acima, mas os chamam de "abreviaturas de símbolos científicos", mantendo as mesmas normas para eles.

Ficha de apoio IV

Siglas e abreviaturas mais usadas

ABI	Associação Brasileira de Imprensa www.abi.org.br
ABNT	Associação Brasileira de Normas Técnicas www.abnt.org.br
Alca	Área de Livre Comércio www.ftaa-alca.org
Anatel	Agência Nacional de Telecomunicações www.anatel.gov.br
ANEEL	Agência Nacional de Energia Elétrica www.aneel.gov.br
Av.	Avenida
BNDES	Banco Nacional de Desenvolvimento Econômico e Social www.bndes.gov.br
CD	compact disc
Cia.	companhia
CBF	Confederação Brasileira de Futebol www.brasilfutebol.com
CEF	Caixa Econômica Federal www.cef.gov.br
CEP	Código de Endereçamento Postal
cm	centímetro(s)
CNI	Confederação Nacional das Indústrias www.cni.org.br
CNPJ	Código Nacional de Pessoas Jurídicas (ex-CGC) www.receita.fazenda.gov.br/PessoaJuridica/cnpj/default.htm
CPF	Cadastro de Pessoa Física
CPMF	Contribuição Provisória sobre Movimentação Financeira
CUT	Central Única dos Trabalhadores www.cut.org.br
DAC	Departamento de Aviação Civil www.dac.gov.br

Siglas e abreviaturas mais usadas			
DDD	discagem direta a distância	**Exmo**.	Excelentíssimo
DDI	discagem direta internacional	**FAT**	Fundo de Amparo ao Trabalhador
dm	decímetro(s)	**FGTS**	Fundo de Garantia de Tempo de Serviço
Dr.	Doutor	**Fifa**	Federação Internacional de *Football Association*
Dr[a]	Doutora	**fl**. e **fls**.	folha e folhas
ECT	Empresa Brasileira de Correios e Telégrafos (atualmente denominada Correios do Brasil S.A.) www.correios.com.br	**FMI**	Fundo Monetário Internacional www.imf.org
ed.	edição	**Funai**	Fundação Nacional do Índio www.funai.gov.br
Embraer	Empresa Brasileira de Aeronáutica S.A. www.embraer.com.br	**g**	grama(s)
		h	hora(s)
Embratel	Empresa Brasileira de Telecomunicações S.A. www.embratel.com.br	**ha**	hectare(s)
		ib.	*ibidem* (no mesmo lugar)
Embratur	Empresa Brasileira de Turismo www.embratur.org.br	**IBGE**	Instituto Brasileiro de Geografia e Estatística www.ibge.gov.br
EUA	Estados Unidos da América (também admitidos EEUU e USA – sigla em inglês)	**Inamps**	Instituto Nacional de Assistência Médica da Previdência Social

Siglas e abreviaturas mais usadas			
Incra	Instituto Nacional de Colonização e Reforma Agrária www.incra.gov.br	**IPVA**	Imposto sobre a Propriedade de Veículos Automotores
Infraero	Empresa Brasileira de Infra-Estrutura Aeroportuária www.infraero.gov.br	**IRPF**	Imposto de Renda Pessoa Física www.receita.fazenda.gov.br
Inmetro	Instituto Nacional de Metrologia, Normalização e Qualidade Industrial www.inmetro.gov.br	**IRPJ**	Imposto de Renda Pessoa Jurídica www.receita.fazenda.gov.br
INPI	Instituto Nacional de Propriedade Industrial www.inpi.gov.br	**ISS**	Imposto Sobre Serviços
INSS	Instituto Nacional do Seguro Social www.mpas.gov.br	**kg**	quilograma(s) – abreviado popularmente para "quilo"
IPI	Imposto sobre Produtos Industrializados www.receita.fazenda.gov.br/PessoaJuridica/ipi/ipi.htm	**km**	quilômetro(s)
IPTU	Imposto Predial e Territorial Urbano	**kw**	quilowatt(s)
IPV	Índice de Preços no Varejo	**l**	litro(s)
		lat.	latitude, latim
		lb.	libra(s)
		long.	longitude
		Ltda.	Limitada (comercial)
		m	metro(s)
		m ou **min**	minuto(s)
		mw	megawatt(s)

Siglas e abreviaturas mais usadas

MEC	Ministério da Educação www.mec.gov.br
Mercosul	Mercado Comum do Cone Sul www.mercosul.org
N	Norte
NE	Nordeste
NO	Noroeste
O	Oeste
OEA	Organização dos Estados Americanos www.oas.org
OIT	Organização Internacional do Trabalho www.ilo.org
ONU	Organização das Nações Unidas www.un.org
op. cit.	*opus citatum* (obra citada)
Otan	Organização do Tratado do Atlântico Norte www.nato.int
pf	prato feito (popular)
pág. ou **págs.**	página, páginas
Pe.	Padre
PIS	Programa de Integração Social www.caixa.gov.br/fgts/pis.htm
PS	*post scriptum* (depois de escrito)
QG	quartel-general
ql.	quilate(s)
R.	Rua
Remte.	remetente(s)
S	Sul
S.	São, Santo(a), Sul
S.A.	Sociedade Anônima
séc.	século
Senac	Serviço Nacional de Aprendizagem Comercial www.senac.br
Senai	Serviço Nacional de Aprendizagem Industrial www.senai.br
Sesc	Serviço Social do Comércio www.sesc.com.br
Sesi	Serviço Social da Indústria www.sesi.org.br

Siglas e abreviaturas mais usadas	
SFH	Sistema Financeiro da Habitação
SPC	Serviço de Proteção ao Crédito
SO	Sudoeste
SOS	*Save our souls* (salvai nossas almas: pedido internacional de socorro)
STF	Supremo Tribunal Federal www.stf.gov.br
STJ	Superior Tribunal de Justiça www.stj.gov.br
STM	Superior Tribunal Militar www.stm.gov.br
SUS	Sistema Único de Saúde www.datasus.gov.br
TCE	Tribunal de Contas do Estado
TCM	Tribunal de Contas do Município
TCU	Tribunal de Contas da União www.tcu.gov.br
TRE	Tribunal Regional Eleitoral
TRF	Tribunal Regional Federal
TRT	Tribunal Regional do Trabalho
TSE	Tribunal Superior Eleitoral www.tse.gov.br
TST	Tribunal Superior do Trabalho www.tst.gov.br
UNE	União Nacional dos Estudantes www.une.org.br
Unesco	United Nations Educational Scientific and Cultural Organization (Organização das Nações Unidas para a Educação, Ciência e Cultura) www.unesco.org.br

Siglas e abreviaturas mais usadas

Unicef	United Nations International Children's Emergency Fund (Fundo Internacional de Emergência para Assistência à Infância) www.unicef.org/brazil/home.htm	**v**	volt(s)
		V.Exª	Vossa Excelência
		V.Sª	Vossa Senhoria
		V.S.	Vossa Santidade (o Papa)
		w	watt(s)
		wc	*water-closet* (banheiro)

Abreviaturas extintas – determinação do Manual de Redação da Presidência da República

Ilmo.	Ilustríssimo	**DD**	Digníssimo	**MD**	Muito Digno

Unidades da Federação

AC	Acre	**MA**	Maranhão	**RJ**	Rio de Janeiro
AL	Alagoas	**MG**	Minas Gerais	**RN**	Rio Grande do Norte
AM	Amazonas	**MS**	Mato Grosso do Sul	**RO**	Rondônia
AP	Amapá	**MT**	Mato Grosso	**RR**	Roraima
BA	Bahia	**PA**	Pará	**RS**	Rio Grande do Sul
CE	Ceará	**PB**	Paraíba	**SC**	Santa Catarina
DF	Distrito Federal	**PE**	Pernambuco	**SE**	Sergipe
ES	Espírito Santo	**PI**	Piauí	**SP**	São Paulo
GO	Goiás	**PR**	Paraná	**TO**	Tocantins

Ficha de apoio V

Grafia de palavras que costumam causar dúvidas

à beça	bandeja	chimpanzé
aborígene	basílica	chuchu
abscesso	bem-vindo	chulear
acesso	beneficente	chuleta
acrescentar	berinjela	cinqüenta
acréscimo	bombacha	cisão
adivinhar	bueiro	coalizão
adolescente	burburinho	cochilo
advocacia	burguês	cocuruto
alçapão	burguesia	complementaridade
amerissar	buzina	concessão
analisar	cabeleireiro	condescendência
análise	cachaça	confecção
ânsia	cachimbo	consciência
antediluviano	cafajeste	consciente
antipático	câimbra (cãibra)	conversão
apaziguar	camundongo	convés
apesar	candeeiro	convicção
aquiescência	caniço	convulsão
aquiescer	canjica	coradouro
ascensão	caranguejo	coriza
ascensorista	caramanchão	cortês
assessor	carcaça	cortesia
asteca	carrossel	crânio
aterrissagem	cassino	cumeeira
atrás	catequese	depredar
atraso	catequizar	depressão
atrasado	cavalariça	deslize
através	censura	destro
atroz	cérebro	digladiar
auscultar	cerimônia	dignitário
azia	cetim	dilapidar
aziago	charco	disciplina
baliza	charque	disenteria

▼

Grafia de palavras que costumam causar dúvidas		
dissensão	feitiço	improviso
distensão	femoral	improvisar
dossel	ficção	incandescente
eletricista	figadal	incenso
empecilho	fratricida	inexorável
empertigado	fricção	injeção
endemoninhado	frisar	inserir
entreter	friso	insosso
enxada	garagem	intitular
enxaqueca	gás	inversão
enxergar	gasolina	irascível
enxoval	gengiva	irrequieto
enxurrada	geringonça	isenção
escapulir	gesso	jazida
escassez	ginga	jazigo
esgotar	girassol	jeito
esgoto	giz	jérsei
espectador	goela	jibóia
esplêndido	gorjear	jipe
espontaneidade	gorjeta	jus
espontâneo	gozar	laje
esquisito	gozação	lambujem
estrangeiro	granja	lassidão
excelso	granjear	lazer
exceção	grosa	lisonjeiro
excesso	guisado	má-criação
excitar	guizo	maciço
excursão	harpa	magazine
exegese	heresia	mágoa
expansão	herege	maisena
expulsão	hesitar	majestade
êxtase	hidráulica	manjedoura
facínora	hilaridade	manjerona
fantasia	hindu	manjericão
fascinar	hortênsia	manteiga
faxina	idoneidade	manteigueira

Grafia de palavras que costumam causar dúvidas		
marceneiro	pesquisar	ressarcir
matiz	pêssego	ressuscitar
mazurca	piche	réstia
meteorologia	piscina	retrocesso
miçanga	poleiro	retrós
milanesa	pontiagudo	revés
mimeógrafo	pôs	revezamento
mimetismo	prazerosamente	risoto
mimetizar	presteza	rodízio
miscelânea	pretensão	salobra
míssil	prevenido	sanguessuga
misto	privilégio	sarjeta
molambo	privilegiado	sazonal
molambento	progresso	seara
muamba	projétil	seiscentos
muxoxo	propensão	sensato
néscio	proprietário	sequer
obcecado	propulsão	seringa
óbolo	prosaico	sessenta
obséquio	prostrar	sestear
obsessão	pus	sigilo
ojeriza	puseste	silvícola
opróbrio	puxar	sinusite
oscilar	querosene	sósia
pajé	quis	suadouro
pajem	quiseste	suar
pantomima	rebuliço	sucinto
paralelepípedo	rechaçar	superstição
paralisar	regozijo	tábua
paralisia	reivindicar	tabuada
pátio	rejeitar	tachar (acusar)
percurso	relaxar	tarraxa
percussão	repercussão	terçol
perspicaz	represa	têxtil
pesaroso	rescisão	tigela
pesquisa	resina	topázio

▼

Grafia de palavras que costumam causar dúvidas		
triz	**vazão**	**xícara**
ultraje	**vazar**	**xipófago**
umedecer	**vicissitude**	**xingar**
vagem	**víscera**	**xucro**
varizes	**xampu**	**ziguezague**

Ficha de apoio VI

Uso das iniciais maiúsculas e minúsculas

MAIÚSCULAS	
Casos	**Exemplos**
No começo de discurso, verso (não obrigatoriamente) ou citação direta, e após ponto final.	• **E**stamos certos de que venceremos. • "**D**e tudo ao meu amor serei atento...".
Nos nomes próprios: pessoas (incluindo sobrenomes, apelidos, cognomes etc.);	• **A**lexandre, o **G**rande • **C**arlos **A**lberto **P**imentel
cidades, acidentes geográficos, logradouros, países etc.;	• a **R**ua **C**hile • a **A**venida da **P**iedade • o **B**rasil e a **A**rgentina • a **I**lha da **M**aré • a **P**raça **C**astro **A**lves
fatos históricos, comemorações, períodos literários;	• o **S**ete de **S**etembro • a **Q**ueda da **B**astilha • a **R**evolução **F**rancesa • o **B**arroco, o **R**omantismo
títulos de obras, nomes de ciências, nomes de agremiações, repartições, prédios etc.	• **B**anco do **B**rasil, **C**aixa **E**conômica **F**ederal, **E**difício **C**entral, **M**inistério da **F**azenda.

Casos	Exemplos
Nomes que expressam conceitos políticos ou religiosos	• o **E**stado, a **N**ação, a **I**greja, a **M**esa (nas Assembléias, no sentido de "mesa diretora...", ou seja, autoridades que participam da mesa que dirige os trabalhos)
Nomes de pontos cardeais ligados a regiões	• O **N**ordeste do Brasil precisa de ajuda. • O **N**orte sofre com as chuvas.
Expressões Fulano, Beltrano e Sicrano	• **F**ulano e **B**eltrano fazem o que querem.
Nos vocativos das correspondências	• **P**rezado **C**liente • **C**aro **A**migo • **S**enhor **D**iretor
Nas palavras, de qualquer categoria, referentes a nomes sagrados e nos nomes de festas religiosas	• **S**enhor, eu **O** conheço e **O** admiro... ("Senhor", aqui, se refere a Deus.) • o **N**atal, a **P**áscoa, a **H**égira, o **Y**om-**K**ippur
Nos substantivos comuns tornados próprios por personificação ou individuação, e seres morais e fictícios	• a **C**igarra e a **F**ormiga • **C**hapeuzinho **V**ermelho e o **L**obo **M**au • "**Q**uerendo obrigar-me Amor depois de tanta afeição me pôs na palma da mão a discreta **B**itancor..." (Gregório de Matos) • **N**ão podemos perder de vista a **É**tica e a **H**onestidade.

Casos	Exemplos
Nomes que designam altos postos	• O **P**residente da **R**epública decidiu... • O **G**overnador, em reunião com seus **S**ecretários... • O **C**oronel João foi finalmente promovido a general.
Expressões de tratamento e suas abreviaturas	• **S**ua **E**xcelência (**S**. **E**xª.), o **M**eritíssimo **J**uiz (o **MM J**uiz), **S**ua **S**antidade, o **P**apa (**S.S.**)
Atos de autoridades em documentos oficiais	• **D**ecreto nº 24, de 10/03/01 • **L**ei das **L**icitações, artigos 8º e 10º.

MINÚSCULAS	
Casos	**Exemplos**
Nomes de meses	**m**aio, **j**ulho, **a**gosto
Nomes de dias da semana	**s**ábado, **s**egunda-feira
Nomes de estações do ano	a **p**rimavera, o **v**erão
Nomes gentílicos (nacionalidade e naturalidade)	**g**aúchos, **b**aianos, **a**rgentinos
Nomes de línguas	o **p**ortuguês, o **a**lemão, o **i**nglês
Nomes de festas populares	O **c**arnaval, o **b**umba-meu-boi
Nomes de pontos cardeais	Percorreu o país de **s**ul a **n**orte.
Partículas monossilábicas e átonas no meio de nomes próprios.	Confederação Nacional **d**as Indústrias, *Incidente* ***e**m* *Antares*

Ficha de apoio VII

As grandes dúvidas do dia-a-dia

AONDE	ONDE	MAS	MAIS
Com verbos que dão idéia de movimento. Equivale a **para onde** ou **a que lugar**.	Com verbos que não dão idéia de movimento. Equivale a **em que lugar**.	Conjunção adversativa. Equivale a **porém**, **contudo**, **todavia**.	Pronome ou advérbio de intensidade
• **Aonde** você vai? • **Aonde** nos leva o trem?	• **Onde** estão os livros? • Não sei **onde** achá-la.	• Eu ia, **mas** não fui. • É rico, **mas** é infeliz.	• Hoje está **mais** quente que ontem. • Ele é **mais** vivo que ela.

MAU	MAL	A	HÁ
Adjetivo. Qualifica sempre um substantivo.	Advérbio de modo, conjunção temporal ou substantivo	Ligado a tempo, mostra ação futura.	Ligado a tempo, mostra ação no passado.
• Ele é um **mau** caráter. • Eu tive um **mau** dia. • Passamos por **maus** momentos.	• Vive-se **mal** ali. • **Mal** eu cheguei, ela saiu. • O **mal** é o que sai da boca do homem.	• Eu chegarei daqui **a** três dias. • Tudo será assinado de hoje **a** uma semana.	• Morreram **há** mais de três anos. • Eu a conheço **há** uns 8 anos.

As grandes dúvidas do dia-a-dia			
SENÃO	**SE NÃO**	**A FIM**	**AFIM**
Equivale a **caso contrário**. Como substantivo, tem o sentido de **mancha**, **mácula**, **entrave**.	Inicia orações adverbiais condicionais, com o sentido de **se por acaso não**.	Locução prepositiva que indica finalidade (com a finalidade de).	Adjetivo que indica semelhança, ligação ou parentesco.
• Volte logo, **senão** se arrependerá. • Trabalhe direito, **senão** será despedido. • Não havia nenhum **senão** à contratação daquele homem.	• **Se não** houver dúvidas, encerraremos o assunto. • **Se não** fizer calor, não iremos à praia.	• Estou **a fim** de sair e comer um filé. • Aquele rapaz está **a fim** de namorar aquela moça.	• Nós temos muitas idéias **afins**. • Fulano é muito **afim** a Beltrano.
AO ENCONTRO DE	**DE ENCONTRO A**	**EM VEZ DE**	**AO INVÉS DE**
Idéia positiva (a favor de)	Idéia negativa (contra alguma coisa)	No lugar de	Ao contrário de
• O projeto foi totalmente **ao encontro dos** nossos planos. • Eu vou **ao encontro dos** amigos.	• Recusei porque ia **de encontro aos** meus princípios. • O carro foi **de encontro ao** poste.	• **Em vez de** ir ao cinema, preferiu ficar em casa. • Prefere guaraná **em vez de** cerveja.	• **Ao invés do** que eles disseram tudo se resolveu. • Choveu muito, **ao invés do** que afirmou a meteorologia.

As grandes dúvidas do dia-a-dia			
À-TOA	À TOA	DEMAIS	DE MAIS
Adjetivo. Equivale a **inútil**, **desprezível**.	Advérbio de modo. Equivale a **a esmo**, **sem razão**.	Advérbio de intensidade. Equivale a **muito**.	Locução prepositiva. Tem o sentido oposto a **de menos**.
• Foi um ferimento **à-toa**. • Não fazia nada de útil. Era um rapaz **à-toa**.	• "Estava **à toa** na vida, o meu amor me chamou..."	• Estava quente **demais** na sala. • Ele é rico **demais**.	• Não fiz nada **de mais**. • Não havia dinheiro de menos, nem **de mais**.
A PAR	AO PAR	EM FIM	ENFIM
Significa **estar ciente de**.	Termo contábil, significa **sem ágio no câmbio**, **pelo valor nominal**.	Estar **no final de**.	Finalmente
• Estou **a par** das suas dificuldades. • Vou colocá-lo **a par** de tudo.	• As ações foram cotadas **ao par**.	• Estes professores estão **em fim** de carreira.	• **Enfim** sós!

As grandes dúvidas do dia-a-dia			
A PRINCÍPIO	EM PRINCÍPIO	ESTAR	ESTÁ
No começo, inicialmente	Em tese	Infinitivo do verbo. Usado junto a outros verbos.	3ª pessoa do singular do presente do indicativo do verbo estar. Usado com o sujeito da oração.
• **A princípio** eles foram muito felizes.	• **Em princípio** eu sou contra isso.	• Vamos **estar** sempre juntos. • É um prazer **estar** com você.	• O material **está** na sua mesa. • Ele **está** ótimo. • Tudo **está** claro agora.
RECORDARMOS	RECORDAR-NOS	ESTE (NESTE ETC.)	ESSE (NESSE ETC.)
O morfema **-mos** é parte do verbo e indica número e pessoa.	**Nos** é pronome oblíquo e deve ser separado por hífen.	O uso do **t** (este, neste, deste etc.) marca a proximidade física ou geográfica, o aqui e agora.	O uso do **ss** marca o distanciamento, o objeto distante ou a ação futura.
• É sempre bom recordar**mos** o passado. • É preciso fazer**mos** os exercícios.	• Ele veio recordar-**nos** o compromisso. • Isso deve fazer-**nos** bem.	• **Este** ano eu estou feliz. • Você gostou **deste** livro? • "Aqui **neste** mesmo lugar..."	• Dê-me **esse** livro que está aí. • Encontrá-lo-ei em 2004. **Nesse** ano lançarei um novo livro.

As grandes dúvidas do dia-a-dia			
CERCA DE	A CERCA DE	ACERCA DE	HÁ CERCA DE
Aproximadamente. Usado para números não definidos, sobre os quais há dúvidas.	Também idéia de aproximação. Mais usado para distância.	Sobre, relativo a, referente a	Usado no sentido de tempo decorrido. O **há** também pode ser usado como **existem**.
• Havia **cerca de** 10.000 manifestantes. • Comeu **cerca de** meio quilo de alimentos.	• A fazenda fica **a cerca de** um quilômetro daqui. • Ele mora **a cerca de** duas horas a pé.	• Na reunião, conversamos **acerca da** empresa. • Detesto conversar **acerca de** política.	• Isso ocorreu **há cerca de** dois anos. • Trabalho aqui **há cerca de** seis meses. • **Há cerca de** mil pessoas no auditório.

CAPÍTULO 11

SEMÂNTICA ESTILÍSTICA

SEMÂNTICA

A Semântica é o estudo da evolução do sentido das palavras através do tempo e do espaço.

Divide-se em:

a) Semântica descritiva: estuda a significação atual das palavras em uma língua.

b) Semântica geral: estuda a relação entre as palavras e as coisas, ou seja, entre a linguagem, o pensamento e a conduta.

c) Semântica histórica: estuda as mudanças de sentido das palavras no correr dos tempos.

CONCEITOS BÁSICOS

Denotação Denotação é a palavra em seu sentido próprio, primitivo, dicionarizado	• A **flor** tem um delicioso perfume. • Ele construiu uma casa **de pedra**. • Durante a autópsia os médicos lhe extraíram o pulmão e **o coração**.
Conotação É a palavra usada em seu sentido figurado, um sentido especial que o autor pretende dar a ela naquele determinado contexto.	• Sua vida foi ceifada ainda **em flor**. • Aquela menina é **uma flor**. • O ditador tinha **um coração de pedra**.
Polissemia É a característica que as palavras apresentam de poderem assumir significações diferentes. Uma mesma palavra pode, dentro de um mesmo texto, ter vários significados distintos.	O verbo "fazer", por exemplo, pode ter inúmeros sentidos: • Ele se **fez** na vida (se realizou). • Ela se **faz** de difícil (se finge). • "E a luz se **fez**!" (a luz surgiu). • O pedreiro **faz** belas casas (constrói). • Cigarros **fazem** mal à saúde (causam).

Sinonímia É a característica de as palavras adquirirem, em determinados contextos, sentido idêntico, ou seja, tornarem-se "sinônimos"*.	• luz = claridade • tranqüilo = calmo • sábio = inteligente • barulho = ruído

FIQUE ATENTO!

*Rocha Lima e Evanildo Bechara evitam o termo "sinônimos" e usam a expressão "séries sinonímicas", baseando-se no fato de que as identificações de sentido são ocasionais e, portanto, não se pode falar que uma palavra é sinônimo de outra; o que se pode dizer é que, em determinado momento, uma palavra tem o mesmo sentido que outra.

A luz estava muito forte (neste contexto, luz é sinônimo de claridade).

Aquela mulher é a luz da minha vida (luz = razão de ser).

Ela deu à luz uma linda criança (luz = vida, existência).

Antonímia

É o fato de as palavras poderem adquirir sentidos contrários ou contraditórios entre si (nascer × morrer; beleza × feiúra; riqueza × pobreza).
Alguns autores usam o termo "antônimos", outros – entre os quais Rocha Lima e Bechara – preferem a expressão "antonímia".
Os antônimos podem surgir de três formas:

com palavras de radicais totalmente diferentes.	• bom × mau • claro × escuro • triste × alegre
com prefixos negativos antepostos a palavras de um mesmo radical.	• feliz × infeliz • elegante × deselegante • político × apolítico
com palavras cujos prefixos têm significação contrária.	• incluir × excluir • progredir × regredir • sobre-humano × subumano

SEMÂNTICA

Homônimos (palavras iguais com sentidos diferentes)		
Homônimos perfeitos	Grafia e som totalmente iguais	• mato (substantivo) / mato (verbo) • cardeal (membro da Igreja Católica) / cardeal (ponto geográfico) / cardeal (pássaro)
Homônimos homógrafos	Mesma grafia; pronúncia diferente	• ele (pronome) / ele (som da letra) • força (substantivo) / força (verbo forçar)
Homônimos homófonos	Mesmo som; grafia diferente	• passo (substantivo) / paço (palácio) • laço (substantivo) / lasso (adjetivo: cansado)

Parônimos (palavras semelhantes – grafia e/ou pronúncia)			
acidente	desastre	**incidente**	fato inesperado
atuar	agir	**autuar**	processar
auréola	círculo luminoso	**ourela**	beira (do tecido)
cervo	espécie de veado	**servo**	empregado
conjetura	hipótese	**conjuntura**	situação
docente	relativo a professor	**discente**	relativo a aluno
deferir	conceder	**diferir**	divergir
degradar	rebaixar	**degredar**	exilar
delatar	trair	**dilatar**	aumentar, inchar
descrição	ato de descrever	**discrição**	ser discreto
descriminar	inocentar	**discriminar**	diferenciar
despensa	depósito	**dispensa**	licença
destratar	tratar mal	**distratar**	rescindir contratos
emergir	vir à tona	**imergir**	mergulhar
eminente	importante, digno	**iminente**	imediato
estripar	tirar as tripas	**extirpar**	extrair
flagrante	evidente	**fragrante**	perfumado
fluir	correr	**fruir**	aproveitar, gozar
incontinente	imoderado, sensual	**incontinenti**	sem demora
lustre	candelabro, brilho	**lustro**	qüinqüênio
tráfego	trânsito	**tráfico**	comércio ilícito
vultoso	grande, elevado	**vultuoso**	inchado

ESTILÍSTICA

É o estudo da linguagem no que diz respeito à expressividade, ou seja, à capacidade de emocionar e sugestionar.
De modo geral, o estilo se refere mais à redação que à gramática, mas o fato é que redação e gramática se completam: a primeira jamais será perfeita se houver problemas com a segunda.
O objetivo, ao abordar aqui problemas estilísticos, foi contribuir um pouco mais para o aperfeiçoamento lingüístico em todos os sentidos.

AS ARMADILHAS DO ESTILO

Problemas de estilo que podem comprometer a sua comunicação oral e escrita

Acumulação de pormenores	Consiste em encher o texto com pormenores que não têm a ver com a mensagem.	• "Quando chegamos à casa do nosso amigo, **que fica lá perto da linha do trem, ao lado daquele matadouro antigo, onde houve um assassinato em 1987**, já encontramos todo o pessoal pronto para a festa".
Ambigüidade	É a duplicidade de sentido. Nasce das palavras ou expressões que podem ser interpretadas com sentidos diferentes.	• "O Secretário abandonou a vida pública para entrar na **privada**". • Paulo ficou aborrecido com um amigo e falou mal da **sua** mãe (o pronome "sua" tanto pode se referir à mãe de Paulo quanto à do amigo).

Arcaísmos	Emprego de palavras antiquadas, fora de uso. São muito comuns na redação oficial.	• "**Outrossim**, informamos ainda que..." • "**Destarte**, informo ainda ao **mui digno** colega..."
Cacofonia	Problema fonético. Consiste na junção de duas palavras criando uma palavra nova e inadequada.	• O chefe **havia dado** ordens. • Da **vez passada** nós saímos. • Ele beijou a **boca dela**. • "Nesta terra onde **abunda a pita**..."
Chavões	São expressões antigas, consagradas pelo uso, que hoje já não têm sentido. São muito comuns na redação oficial.	• **Venho por meio desta**... • **Venho por intermédio da presente**... • **No dia x próximo passado (p.p.)...** • **Tenho em mãos...** • **Sem mais para o momento...** • **Subscrevemo-nos, firmamo-nos**
Clichês	Também chamados de **lugares-comuns**, os clichês são aquelas expressões antigas, desgastadas pelo uso, cujo emprego denota – no mínimo – falta de imaginação.	• chorar **lágrimas de sangue** • o **astro-rei** (sol) • estar armado **até os dentes** • comer **o pão que o diabo amassou** • correr **atrás do prejuízo**

Conectivos (erro no emprego dos)	Emprego do conectivo inadequado à estrutura da frase	• Na reunião de ontem, **onde** falou sobre vários assuntos... • O diretor, **de quem** a secretária é muito eficiente, disse...
Contradições e associações ilógicas ou absurdas	Frases secundárias que contrariam o tópico frasal ou que nada têm a ver com ele.	• Sou totalmente contra a pena de morte no Brasil. Na minha opinião, ela só deveria ser aplicada em casos de seqüestro e estupro.
Estrangeirismos (excesso de)	Se existe o termo em português, para que buscá-lo em outra língua?	• Estou aguardando um **feedback** do meu **staff**, logo depois do **coffee-break**, para mandar fazer os **folders**.
Excesso de "quês" e preposições	O texto se torna pesado e cansativo.	• Logo **que** ele telefonou eu disse **que** esperava **que** ele resolvesse aquilo **que** ele dissera **que** ia resolver.
Falta de paralelismo	Pode ocorrer no nível semântico ou sintático. Consiste em comparar termos de grandeza diferente ou usar objetos iguais com verbos de diferentes regências.	• **A França se destaca pela culinária, enquanto que os alemães são excelentes músicos**. (Não se pode comparar país com população).

Falta de paralelismo		• **Ele ama e obedece aos pais**. (Amar é verbo transitivo direto; obedecer é transitivo indireto. O correto seria: "ele ama os pais e obedece a eles".)
Gerundismo	Consiste em usar vários verbos no lugar de um só. Problema mais ligado à comunicação oral, começa a aparecer também na linguagem escrita, principalmente nos *e-mails*.	• Nós **vamos estar entrando** em contato com o senhor. • A empresa **vai estar resolvendo** o seu problema em pouco tempo...
Má colocação das palavras	Em matemática "a ordem dos fatores não altera o produto", mas em português...	• Aluga-se casa para jovem de fundos amplos e ventilados. • Comprou um peixe para o pai grande e muito fresco.
Modismos	É o uso de termos que estão na moda, e por isso todos os repetem, qual papagaios ensandecidos, sem sequer pensar no que estão falando ou escrevendo.	• A nível de, colocar/colocação, eu "enquanto", "espaço" etc.
Neologismos não-oficializados	É o uso de palavras novas, ainda não registradas oficialmente na língua.	• **Alavancar** recursos. • Os problemas **elencados** no relatório... • **Prospectar** clientes.

Óbvio, **vazio**, **supérfluo**	Para que dizer ao leitor o que ele já sabe?	• Venho pela presente... • Sem mais para o momento... • O terrorismo é uma forma aterrorizante de terror porque aterroriza as pessoas...
Oralidade	Ao escrever usamos a língua culta; ao falar, usamos a coloquial. Cuidado, pois, com o uso das expressões coloquiais no texto escrito.	• **Pra** resolver o problema do terror, **a gente** precisa se unir. • **Tá** certo que todos os países têm problemas, mas **aí** a gente tem que tentar, **né**? **Então**, **a gente** precisa **tá** junto **pra** acabar com o terrorismo.
Palavras "muletas"	Palavras vazias que significam tudo e nada ao mesmo tempo.	• **coisa**, **negócio**, **tipo** etc.
Personalismo	Pode surgir através das expressões pessoais desnecessárias ou com o uso da subjetividade em textos que deveriam ser objetivos.	• **Eu acho** que o terrorismo é um problema... • **Na minha opinião**, para combatermos o terror...

▼

Preenchimento de espaços a qualquer custo (problema comum em concursos públicos e vestibulares)	A obrigatoriedade de preencher determinado número de linhas (atualmente estão pedindo entre 30 e 60) leva as pessoas a usar de vários artifícios para preencher os espaços de modo a completar o limite estabelecido. Entre esses artifícios, os mais comuns são os seguintes: fazer letras grandes, começar o parágrafo bem no final da linha, usar de longos rodeios para dizer o que se quer. Todos esses artifícios não levam a nada; mais atrapalham que ajudam. Preocupe-se apenas em atingir o limite mínimo de linhas com um bom texto; a partir daí, o que vier será lucro... ou prejuízo.	
Pleonasmos	Repetição desnecessária de uma expressão.	• A vítima faleceu em meio a uma grande **hemorragia de sangue**. • Está com uma grave **hepatite no fígado.**
Prolixidade	Consiste em falar demais ou em complicar desnecessariamente o texto, com o uso de termos pouco conhecidos.	• Eu tenho uma preguiça estrutural de ordem mental, tenho uma mentalidade preguiçosa, mas uma realidade muito ativa. É a representação mesmo do conflito na vida humana. No meu caso, essa questão é emblemática. Agora, com o passar do tempo, evidentemente, com o envelhecimento, a tendência é que vá

Prolixidade		havendo cada vez mais uma adesão do corpo à mentalidade. Então, eu já estou ficando fisicamente preguiçoso, o que eu não era.
Rima	Se você está fazendo poesia, pode rimar à vontade, mas evite as rimas nos textos em prosa.	• Na última reuni**ão**, o chefe da naç**ão** avisou pela televis**ão** que iria fazer uma convocaç**ão**...
Termos inadequados	Só use uma palavra quando tiver absoluta certeza da sua grafia e do seu sentido.	• Isso não tem nada **haver** com o assunto. (a ver) • Fulano é uma pessoa muito fácil de **lhe dar**. (lidar) • O menino comeu um peixe e ficou com uma espinha cravada na **glande**. (glote, garganta)

Ficha de apoio I

Funções da linguagem

Referencial (ou denotativa ou cognitiva): Mostra o sentido real das coisas e dos seres.	• Os **dias** se passavam sem nada de novo acontecer.
Emotiva ou expressiva: Centra-se no emissor e busca criar ou expressar um sentimento verdadeiro ou simulado.	• Que **dia** maravilhoso!
Conativa (apelativa ou imperativa): Centra-se no receptor e é eminentemente persuasória.	• Ajuda-me a melhorar, querido **dia**!
Fática ou de contato: Visa estabelecer, prolongar ou interromper a comunicação e serve para testar a eficiência do canal.	• **Alô**, vocês que me ouvem neste dia lindo, tudo bem?
Metalingüística: É a linguagem falando de si mesma. Busca verificar se emissor e receptor estão usando o mesmo repertório.	• Um **dia** é um conjunto de 24 horas.
Poética: Centra-se na mensagem e tem como base a conotação e o subjetivismo.	• "Hoje é o **dia** da graça. Hoje é o **dia** da caça e do caçador". (Chico Buarque)

Ficha de apoio II

Pequeno dicionário da linguagem figurada

Anacoluto: quebra da estrutura sintática, ficando um termo sem qualquer função.

"**Eu**, que era linda e pura, eis-me medonha e impura" – Manuel Bandeira

Aliteração: repetição de consoantes em vocábulos próximos, visando obter maior musicalidade no texto.

"Auriverde pendão da minha terra que a **br**isa do **Br**asil **b**eija e **b**alança..." – Castro Alves
"**V**oze**s** **v**eladas, **v**eludo**s**as **v**oze**s**, **v**olúpias de **v**iolões, **v**oze**s** **v**eladas,
Vagam nos **v**elhos **v**órtices dos **v**entos, **v**i**v**as, **v**ãs, gal**v**aniza-das..." – Cruz e Souza

Anticlímax: emprego de uma gradação decrescente marcada pelo tom de voz do orador, que diminuirá perceptivelmente à medida que o texto se aproxima do fim.

É **modesto**, **apagado**, um **joão-ninguém**.
Dele podemos dizer que é **tímido**, **assustado**, **covarde**...

Assíndeto: omissão do conectivo **e** numa seqüência de orações.

"**Vim**. **Vi**. **Venci**." – Júlio César

Antítese: trabalha com a oposição entre idéias ou palavras.

"Como é possível **beleza e horror**, **vida e morte** harmonizarem-se assim no mesmo quadro? – Érico Veríssimo
"Uma parte de mim é todo mundo.
Outra parte é ninguém fundo sem fundo..." – Ferreira Gullar

Pequeno dicionário da linguagem figurada

Catacrese: uso especial, por analogia, de uma palavra, normalmente à falta de expressão mais apropriada.

Comi um **dente de alho**.
Ele chegou na **boca da noite**.
Foi colocado no **olho da rua**.

Elipse: omissão de um termo que se pode facilmente subentender.

"João **foi** para os Estados Unidos, Teresa para o convento..." (elipse do verbo ser – Teresa **foi** para o convento) – Carlos Drummond de Andrade

Eufemismo: suavização de idéias agressivas ou desagradáveis.

Frase agressiva: O ministro era um ladrão.

Eufemismo: O ministro **tinha o péssimo hábito de se apropriar indevidamente dos recursos públicos**.

Frase desagradável: Ele morreu.

Eufemismo: Ele **passou desta para a melhor**.

Hipérbato: inversão dos termos na frase (quando a inversão é muito forte, toma o nome de **anástrofe**).

"Sempre a razão vencida foi de Amor;
Mas, porque assim o podia o coração..." – Camões
*Um exemplo claro de anástrofe são os versos iniciais do Hino Nacional Brasileiro:
"Ouviram do Ipiranga as margens plácidas
De um povo heróico o brado retumbante..."

A ordem normal, eliminada a anástrofe, seria: "as margens plácidas do Ipiranga ouviram o brado retumbante de um povo heróico".

Pequeno dicionário da linguagem figurada

Hipérbole: uso do exagero para valorizar uma idéia.

"Maior amor, nem mais estranho existe, que o meu, que não sossega a coisa amada..." – Vinicius de Moraes
"Meu pranto rolou, mais do que água, na cachoeira..." – Vinicius de Moraes

Metáfora: é a comparação sem os elementos comparativos. Em vez de apenas comparar, atribuem-se ao ser características de outro, usando a linguagem conotativa.

"Iracema, a virgem dos **lábios de mel**" – (lábios doces como o mel) – José de Alencar
"Essa mulher é **um mundo, uma cadela**, talvez..." – Vinicius de Moraes

Metonímia: troca de uma palavra por outra, havendo entre elas uma relação real, objetiva.

a) **a parte pelo todo**: Ele não tem **um teto** onde morar. (um teto = uma casa)

b) **o autor pela obra**: Gosto de ler **Fernando Pessoa**.

c) **o abstrato pelo concreto**: Devemos proteger **a infância**.

d) **o singular pelo plural**: "**O homem**, bicho da terra tão pequeno, chateia-se na terra..." – Carlos Drummond de Andrade

e) **o continente pelo conteúdo**: Tome mais **um copo** antes de sair.

f) **a matéria pelo objeto**: Ao longe soava **o bronze** anunciando a missa.

Onomatopéia: emprego de palavras cuja pronúncia imita o som natural do ser em questão.

Só se ouviam o **au-au** dos cães e o **zumbido** dos mosquitos.

Pequeno dicionário da linguagem figurada

Oxímoro: reunião de palavras aparentemente contraditórias. Causa normalmente um efeito muito forte em virtude da sua imprevisibilidade.

O orador nos surpreendeu com **um silêncio eloqüente**.
Tudo nele falava da sua **inocente culpa**.

Paradoxo: jogo de opiniões ou idéias contrárias, aparentemente contraditórias, com imagens que ao mesmo tempo se negam e se completam.

"Amor é um fogo que arde sem se ver
É ferida que dói e não se sente.
É um contentamento descontente.
É dor que desatina sem doer." – Camões

Polissíndeto: repetição intencional da conjunção nas diversas orações de um período.

E fala, **e** reclama, **e** insiste, **e** briga, **e** não faz nada de útil.

Prosopopéia ou personificação: atribuição de ações próprias do ser humano a seres inanimados, abstratos ou a animais.

Depois que quis **Amor** que eu só passasse
Quanto mal já por muitos repartiu,
Entregou-me à **Fortuna**, porque viu
Que não tinha mais mal que em mim mostrasse..." – Camões

Silepse: concordância ideológica (a concordância não é feita com a palavra ou expressão, mas com a idéia que há por trás dela).

a) **silepse de gênero**:
Sua Santidade estava muito **cansado** (concorda com o fato de Sua Santidade ser um homem, o Papa, e não com a expressão, que é feminina).

Pequeno dicionário da linguagem figurada

b) **silepse de número**:
"**O casal de patos** nada disse, pois a voz das ipecas é só um sopro. Mas **espadanaram**, **ruflaram** e **voaram** embora" – Guimarães Rosa

c) **silepse de pessoa**:
Todos os brasileiros somos alegres e cordiais.

Sinestesia: objetiva, através do uso de palavras, atingir os sentidos do leitor trabalhando com sons, cores, cheiros etc.

"**Dói-me a imaginação não sei como, mas é ela que dói.**
Declina dentro de mim o sol no alto do céu.
Começa a tender a entardecer o azul e nos meus nervos..." – Álvaro de Campos

BIBLIOGRAFIA

ALI, Manuel Said. *Dificuldades da língua portuguesa*. 2. ed. Rio de Janeiro: Typ. Besnard Frères, 1919.

ALMEIDA, Napoleão Mendes de. *Gramática metódica da língua portuguesa*. São Paulo: Saraiva, 1989.

ANDRÉ, Hildebrando A. de. *Português, 1200 testes de vestibulares resolvidos*. São Paulo: Moderna, 1974.

AQUINO, Renato. *Português para concursos*. Rio de Janeiro: Impetus, 2000.

BAGNO, Marcos. *Português ou brasileiro?* Um convite à pesquisa. São Paulo: Parábola, 2001.

______. *A língua de Eulália*. São Paulo: Contexto, 2000.

BECHARA, Evanildo. *Moderna gramática portuguesa*. Rio de Janeiro: Lucerna, 2001.

CEGALLA, Domingos Paschoal. *Novíssima Gramática da língua portuguesa*. São Paulo: Cia. Editora Nacional, 1990.

CHERUBIM, Sebastião. *Dicionário das figuras de linguagem*. São Paulo: Pioneira, 1989.

CUNHA, Celso; CINTRA, Lindlay. *Nova Gramática do português contemporâneo*. Rio de Janeiro: Nova Fronteira, 1985.

GARCIA, Othon M. *Comunicação em prosa moderna*. Rio de Janeiro: Editora da Fundação Getúlio Vargas, 1986.

GREGORIM, Clóvis Osvaldo. *Melhoramentos gramática prática da língua portuguesa*. São Paulo: Melhoramentos, 1997.

HAYAKAWA, S. I. *A linguagem no pensamento e na ação*. São Paulo: Pioneira, 1977.

KURY, Adriano da Gama. *Português básico*. Rio de Janeiro: Nova Fronteira, 1990.

______. *Para falar e escrever melhor o português*. Rio de Janeiro: Nova Fronteira, 1989.

LUFT, Celso Pedro. *Novo manual de português*. São Paulo: Globo, 1986.

MARTINS, Silveira Dileta; ZILBERKNOP, Lúbia Scliar. *Português instrumental*. Porto Alegre: Sagra-DC Luzzato, 1995.

MATTOSO CÂMARA JR., Joaquim. *Manual de expressão oral e escrita*. Rio de Janeiro: J. Ozon Editor, 1966.

NASCENTES, Antenor. *Dicionário etimológico resumido*. Rio de Janeiro: Ministério de Educação e Cultura, 1966.

PENTEADO, J. R. Whitaker. *A técnica da comunicação humana*. São Paulo: Pioneira, 1989.

PIMENTEL, Carlos. *Descomplicando a gramática*. Salvador, Jornal Correio da Bahia, 2002.

RIBEIRO, Manoel P. *Gramática aplicada da língua portuguesa*. Rio de Janeiro: Metáfora Editora, 1990.

ROCHA LIMA, Carlos Henrique da. *Gramática normativa da língua portuguesa*. Rio de Janeiro: José Olympio, 1999.

SAVIOLI, Francisco Platão. *Gramática em 44 lições*. São Paulo: Ática, 1983.

TERRA, Ernani. *Curso prático de Gramática*. São Paulo: Scipione, 1996.

Índice Remissivo

D

E

F

G

H

I

J

L

M

N

O

P

Impressão e Acabamento: Prol Editora Gráfica